LA VIE D'ARTISTE
de Jocelyne Gosselin
est le dix-neuvième ouvrage
publié chez
LANCTÔT ÉDITEUR.

LA VIE D'ARTISTE

JOCELYNE GOSSELIN

LA VIE D'ARTISTE

nouvelles

LANCTÔT
ÉDITEUR

LANCTÔT ÉDITEUR
1660 A, avenue Ducharme
Outremont, Québec
H2V 1G7
Tél. : (514) 270.6303
Téléc. : (514) 273.9608

Illustration de la couverture :
Olivier Lasser

Mise en pages :
Folio infographie

Distribution :
Prologue
Tél. : (514) 434.0306 ou 1.800.363.2864
Téléc. : 434.2627 ou 1.800.361.8088

Rue Coronet

J'ÉTAIS ALLONGÉE à côté de lui, ma tête touchait son épaule. Quand il porta la main à sa bouche pour étouffer un bâillement, nous venions tout juste de nous réveiller. J'étais toute concentrée sur le décor de cette nouvelle chambre à coucher. Il me prenait dans ses bras et me disait: « Je t'aime. » Je me sentais heureuse. Je lui souriais. Mon mal de tête semblait vouloir se dissiper malgré tout l'alcool ingurgité. Nous nous étions rencontrés la veille, par hasard, à l'auberge *Saint-Tropez*. Nous avions finalement soupé ensemble, nous avions dansé, nous nous étions fait des confidences et puis nous nous étions complètment soûlés, lui au scotch, moi au Grand Marnier. Quand le garçon de table nous avait appelé un taxi à cinq heures du matin, nous avions décidé de rentrer chez lui. Je savais que notre histoire allait durer. Je savais qu'il m'aimerait. Je savais que déjà je l'aimais.

Je regardais son corps, son visage dans le miroir du plafond. Cet homme n'était pas beau mais terriblement perspicace et sarcastique. Il se retournait sur le côté droit, la moitié de la tête enfouie dans l'oreiller, et dardant son œil marron sur ma bouche il balbutiait : « Je t'aime, et toi ? »

Je prenais sa main dans la mienne, je la pressais fortement et je murmurais : « Je t'aime bien. »

Il me regardait fixement dans les yeux. Avec assurance et d'un ton ferme, il me disait : « Moi, on m'aime ou on ne m'aime pas. »

Je lui souriais de nouveau. J'avais envie de me moquer de son outrecuidance. J'étouffais mon fou rire avec ma main puis je la glissai comme une caresse sur son front, ses masséters saillants, son nez d'orgueil, son épaule parfaite. Je me serrais très fort contre lui. Je fermais les yeux un long moment et comme dans un rêve, je lui murmurais : « Je t'aime » et j'inventais notre amour. Je nous dévisageais encore dans la glace du plafond. Je le trouvais tellement plus grand, plus fort et plus âgé que moi. Je l'embrassais longuement et nous faisions l'amour tout l'avant-midi. Au milieu de l'après-midi, nous nous endormîmes dans les bras l'un de l'autre après avoir décidé de vivre ensemble. J'étais sa maîtresse. Il me disait : « C'est important pour un homme le choix de sa maîtresse. »

Notre amour était souvent silencieux. Même si je me sentais bien avec mes pensées, j'avais par contre du mal à imaginer les siennes. Il lisait beaucoup et j'aimais qu'il me parle des écrivains. Il connaissait à leur sujet des anecdotes fascinantes. Je le trouvais habile à raconter des petits riens. Il aimait l'ironie, la plaisanterie. La première nuit où j'avais dormi avec lui, j'avais remarqué sur sa table de chevet *Théâtre je t'adore* de Guitry. Il m'avait dit :

« Souviens-toi que les professeurs sont tous mauvais et qu'ils n'enseignent jamais que leurs défauts. » J'avais approuvé et nous avions ri. Beaucoup. Puis, je ne l'avais pas revu ouvrir le livre et finalement le bouquin avait disparu. Peut-être l'avait-il rendu à son propriétaire ou classé sur un rayon de la bibliothèque. J'étais curieuse de savoir pourquoi le théâtre le fascinait autant puisqu'il n'était même pas comédien. Je faisais alors la connaissance d'un homme rempli d'émerveillement et de lancinants souvenirs pour la scène, les décors, les costumes, les éclairages. Son père, auteur dramatique, avait gagné sa vie en jouant ses pièces dans toutes les villes et villages de la province. Sa mère était comédienne. Mon imagination, ma soif de le mieux connaître étaient touchées au vif et j'allais même jusqu'à établir un parallèle entre son existence d'alors et la vie du truculent Molière. Des heures durant, je le laissais me parler des acteurs. Il les décrivait comme des gens fiers qui se devaient toujours de bien paraître pour ne pas décevoir leur public. Avant d'entrer dans une petite ville ou un village, souvent après avoir roulé durant presque toute une journée sur des chemins terreux et cabossés, les comédiens en tournée, même s'ils étaient épuisés, courbaturés, affamés, arrêtaient sur le bord d'un ruisseau pour se laver, se maquiller et se changer. Ainsi, il connaissait les coins les plus reculés de la province, tous les sous-sols d'église et leurs curés qui, après les avoir bénis, leur refusaient souvent de jouer, prétextant que leur pièce n'était pas assez catholique, ou s'ils acceptaient de les laisser se produire leur demandaient un pourcentage exorbitant sur leurs recettes. Un de leurs gros succès, en région plus particulièrement, avait été *Aurore l'enfant martyre*. L'enfant de la balle avait joué lui-même le personnage d'Aurore, déguisé en fille. Son histoire était parsemée d'anecdotes invraisemblables et parfois tristes à pleurer. Tapi au fond de la vieille Plymouth noire de son père, entouré de caisses de costumes et de décors, il passait ses longues journées à regarder défiler les immenses forêts, les arrogantes montagnes et les plus grands lacs du Québec. Ce paysage sauvage avait nourri et transcendé son imagination de même que sa mémoire exceptionnelle. Il avait eu le temps d'apprivoiser le vol des oiseaux, d'imiter leurs gazouillis, d'accompagner en rêve la longue course de l'orignal, de taquiner la truite avec une branche d'arbre, un hameçon esché d'un ver. Son enfance magique avait fait de lui un des premiers et des plus célèbres chroniqueurs de chasse et de pêche du Québec. Maintenant, il se concentrait exclusivement sur ses articles, sur ses scénarios pour la radio, la télévision et le cinéma qui le mettaient souvent en scène dans des excursions fauniques. Sans doute las de me raconter ses souvenirs d'enfance, il me répétait : « Je te connais. Je te comprends. Tu me ressembles. Tu m'aimes ? »

Je crois que nous nous aimions vraiment. Notre amour était tissé de douceur, d'affection, de tendresse et bien vite de passion. Il me disait encore : « J'ai besoin de toi » et m'embrassait avec fougue sur tout le visage et... J'aimais être sa maîtresse. Il m'intimidait par contre avec ses questions. Je le trouvais parfois indiscret sur mon passé enfoui si profondément dans ma chair qu'il me devenait presque impossible de me rappeler quoi que ce soit. Alors je m'évadais dans des pensées de voyages, de couleurs, de sons, de gens que je voulais mieux connaître. Il me rappelait souvent à la réalité : « Tu rêves trop, ce n'est pas bon ! » Ça me mettait en rogne.

Je préférais qu'il me parle de lui. C'était tellement plus excitant que ma vie stupide et étriquée d'enfant née dans un presque-village qui se donnait des allures de grande ville, avec ses odeurs d'usine, son ciel brouillé. Surtout, j'avais peur de ne pas être à la hauteur sur le plan intellectuel, car bien qu'autodidacte il avait une mémoire encyclopédique. Un séjour d'un an en Europe m'avait quand même ouvert les yeux sur le monde, l'art, la politique. À mon retour, j'avais réussi à m'immiscer tant bien que mal dans le journalisme. Je vendais des articles à droite et à gauche et faisais parfois des entrevues pour une émission féminine à la télévision, à titre de pigiste, comme on disait dans le métier. Mais depuis que j'avais trouvé ce « nouvel amour », le travail à l'extérieur me préoccupait de moins en moins. Ce que je désirais par-dessus tout, c'était devenir romancière. Je crois que j'avais eu la piqûre en versification en lisant mon premier roman, *Kristin Lauransdatter*, de Sigrid Undset. J'avais été fascinée par les descriptions, le souci du détail de l'auteur. Mon imagination débridée s'était mise à détecter tout autour de moi, dans la rudesse et la

mélancolie d'un paysage de tourmente, de merveilleux personnages : ma grand-mère, la cousine de
ma mère, ma maîtresse d'école, les employés de
mon père, sans oublier notre homme à tout faire.
Je rédigeais surtout dans ma tête car je trouvais très
difficile, pénible même, l'acte d'écrire, qui astreint
à s'asseoir seul pour quelques heures avec devant
soi du papier et un stylo. Je ne finissais jamais mes
histoires, préférant souvent les rêver. Mes romans
avortaient à la quarantième page et seulement deux
nouvelles avaient été menées à terme.

Je lui parlais de mon grand rêve et avec son
regard noisette, sa voix grave, il me souriait
moqueusement : « Tout le monde a écrit dans sa
vie. » Alors, sur un rayon de la bibliothèque, il allait
me chercher ce qu'il appelait une erreur de jeunesse : *Né en trompette*, une sorte de *Grand
Meaulnes*. J'appréciais la façon qu'il avait de se
moquer de tout, spécialement de lui-même.

Le matin, on se réveillait toujours très tôt,
même si j'ai plutôt tendance à dormir tard dans la
matinée. Je me glissais tout naturellement contre
lui dans les draps froissés de la nuit et nous nous
murmurions réciproquement : « Mon bel amour ».
Il tournait le bouton du poste de radio dès sept
heures pour écouter les actualités. Il allumait une
cigarette et allait dans le réfrigérateur se chercher
une bouteille d'eau de Vichy ou de *Cream Soda*.
Quelquefois, après les nouvelles, on faisait l'amour
et je me rendormais la tête dans son épaule.
Comme par magie, je me réveillais à neuf heures. Je

m'habillais à la hâte, je prenais quelque argent sur la commode et je dévalais les trois escaliers de notre immeuble. Je me retrouvais dans la rue, heureuse de pouvoir me remplir les poumons de l'air frais d'un jour nouveau. Je courais jusqu'à la pâtisserie *La Lorraine* pour acheter des croissants, des petits pains au chocolat. C'était toujours une jolie petite femme blonde en tablier rose qui me servait. J'avais l'impression d'être sa première cliente de la journée. Je marchais ensuite jusqu'à la pharmacie Brodeur pour acheter *Le Devoir*. Sur le chemin du retour, je ne pensais qu'à lui. Il m'arrivait de courir, tellement j'étais pressée de le revoir. Arrivée au seuil du numéro huit, c'était indiqué «ici», imprimé en blanc sur un carton noir collé en plein milieu de la porte. Je décoinçais la *Gazette* dans l'embrasure et je pénétrais dans la chambre les bras chargés. Je lui remettais les journaux. Il plaçait deux oreillers sous son dos et commençait sa lecture. Il ouvrait d'abord le journal aux pages féminines, ce qui m'intriguait beaucoup. Avec un regard et un sourire malicieux, il disait chaque fois qu'il était curieux de savoir où en était rendue la révolution de la femme.

— J'ai hâte de voir si elle jettera sa petite culotte après s'être départie de son soutien-gorge! me disait-il.

— Vieux vicieux! que je lui criais en lui lançant des oreillers.

N'ayant rien lu d'aussi excitant, il emportait son journal dans la cuisine et poursuivait sa lecture dans les pages économiques. Il buvait son café et mangeait ses croissants sans même lever les yeux. Il marmonnait simplement : « Merci ! »

Après le petit déjeuner, je me dirigeais vers son bureau, je m'asseyais devant la machine à écrire, je tapais quelques idées, espérant toujours finir par accoucher d'un roman. Je restais la plupart du temps figée devant la feuille blanche. Je pensais pouvoir écrire d'abord sur Karina, puis je me disais que ce serait mieux de commencer par Sal ou par Jack O'Brien, et je remettais finalement mon projet au lendemain. J'avais tellement hâte de le retrouver. Il était de nouveau au lit, les journaux éparpillés un peu partout dans les draps, sur le tapis. Il avait la manie de s'asseoir sur les reins, un oreiller creusé sous sa nuque, le téléphone installé sur son ventre. Il ne faisait pas moins de huit appels par matinée et en recevait tout autant. C'était, paraît-il, pour ses affaires ou ses rendez-vous pour l'heure du lunch. Il allait presque chaque midi dîner au *Castel du Roy* ou au *Café des Artistes*. Très souvent, je l'accompagnais, sinon je restais à la maison et j'essayais encore et encore d'écrire mon roman, *La Fin d'octobre*, une histoire d'amour et de mort, de suspense et d'immobilité.

Plus tard, je retournais dans son lit, je collais mon corps à son flanc et fermais les yeux. Je feignais de dormir, mais je pensais toujours à des personnages. J'essayais de retrouver les gestes des gens que j'avais rencontrés la veille. Je repassais dans ma tête leur conversation. Je les analysais. Je me demandais de quelle façon je pourrais parler d'eux sans qu'ils s'en rendent compte. Lasse de penser à mes écritures et d'inventer des histoires, je finissais par feuilleter un magazine. J'examinais longuement une nouvelle collection de meubles avec une base en acier inoxydable que je n'aurais pour rien au monde voulu voir dans notre appartement. Quand il en avait fini avec le téléphone, je me glissais dans ses bras, friande des histoires qu'il racontait avec verve et ostentation. Je me délectais de celle de Jules Renard qu'il affectionnait tout particulièrement, surtout quand il venait de raccrocher au nez de son concessionnaire automobile qui le menaçait de reprendre sa jeep si les paiements n'arrivaient pas dans les jours suivants.

L'histoire allait comme suit: Criblé de dettes, Jules Renard avait l'habitude de brasser dans un chapeau une fois la semaine tous ses comptes à payer. Au hasard, il en pigeait un et c'était celui précisément qu'il réglait. À un fournisseur qui l'accablait d'insultes en lui réclamant son dû, Jules Renard écrivit stoïquement: «J'ai l'honneur de vous annoncer, monsieur, vu le ton désobligeant de votre lettre, que vous ne serez pas dans le tirage de la semaine prochaine.»

Il avait une telle façon de me décrire les mésaventures de l'auteur de *Poil de Carotte* que je riais jusqu'à en pleurer. Après que nous nous soyons bien bidonnés, il se mettait à bricoler son coffre à mouches pour la fin de semaine. De temps en temps, il en prenait une dans ses mains et me parlait de son origine. La *Royal Coachman* était la préférée de la reine Victoria, sa mouche fétiche si on peut dire. La pauvre souveraine, malgré toute son application à taquiner le poisson, avait toujours eu beaucoup de difficulté à en attraper. Grâce à son cocher, qui lui offrit un jour une mouche de son invention en cadeau d'anniversaire, la reine fit pour la première fois de sa vie une pêche miraculeuse. Pour remercier le brave homme, elle nomma la mouche *Royal Coachman*. Il continuait encore de me parler de la *Professor,* de la *Mickey Finn* et d'une nymphe extraordianire pour les eaux vives, la *Grande Stone.*

Mon héros volubile, bien installé sur le lit, une cigarette dans la main droite, un verre de scotch dans l'autre, me racontait sa vie comme un roman et je m'en délectais. Je lui reconnaissais du mâle un goût pour l'aventure, la témérité et même la perfidie. Déjà au collège, les frères lui reprochaient ses dessins amoraux, ses lectures à l'index. De plus, il avait osé faire l'amour à quatorze ans avec sa cousine. Il avait même été mis à la porte de plusieurs institutions religieuses, pour finalement recevoir son diplôme à seize ans. Quand il avait quitté l'école, au grand dam de ses parents, il s'était enrôlé dans la marine marchande et était parti pour l'Amérique du Sud. Il disait que là-bas le monde était *stone* à longueur de journée : « On mâchait des feuilles de coca que l'on crachait un peu partout, au point que tous les immeubles étaient décorés de grosses taches vertes. » J'imaginais bien le tableau. Il avait aussi, mousse à bord de son navire, trafiqué de la peinture CIL contre de la marijuana. Dénoncé par ses compagnons, on l'avait mis au

trou pour une semaine. Les prisons de l'Amérique
du Sud étaient à l'époque des ouvertures creusées
à une profondeur de quinze mètres d'où les prisonniers ne pouvaient espérer s'évader. Le soleil plom-
bait sur la tête des prisonniers et plusieurs mou-
raient d'insolation quand ce n'était de soif ou de
faim. Une fois par jour, on les approvisionnait d'un
morceau de pain et d'une bouteille d'eau attachés
à une corde qu'on leur lançait de la terre ferme.
Les larmes me venaient aux yeux une fois de plus
et j'en profitais pour embrasser sur son front ses
douloureux souvenirs de jeunesse. Dire qu'à ce
moment-là je m'ennuyais à traduire *Le Défilé des
Thermopyles*, à égrener des chapelets pour convertir
les pécheurs, des gars comme lui, ou à entonner des
Magnificat et des *Te Deum* pour le salut de mon
âme au collège du Bon-Pasteur. «Quel gâchis, une
vie comme la mienne!» que je me répétais. Pour
me consoler, j'avais droit à «Mon bel amour»,
«Mon beau trésor», «Mon ange».

Nous étions superbement heureux dans ces fins
d'avant-midi où je l'écoutais religieusement me
raconter la vraie vie! Quand soudain j'apprenais qu'il
était l'auteur de la chanson «Cinq pieds deux, les
yeux bleus, qui a vu passer ma blonde?» je lui disais
comment je lui en avais voulu durant mes années de
collège, moi qui pensais qu'une telle fille recelait
tous les canons de la beauté féminine. C'était, paraît-
il, un portrait de sa cousine dont il voulait se
moquer. Dire qu'en ces temps-là, j'avais terriblement
souffert de mes yeux noirs, de mes cheveux d'ébène,
de mes cinq pieds six, de ma maigreur. Surtout je

croyais dur comme fer que je ne connaîtrais jamais l'amour à cause de mon handicap physique et voilà que maintenant j'étais amoureuse de l'auteur de mes tourments. Il s'esclaffait et me disait encore que cette chanson avait été écrite en l'espace de cinq minutes, en guise de protestation, alors qu'il était dans une colère bleue parce qu'on lui refusait toutes ses chansons poétiques comme « La Pluie », « Les Immortelles », « Celle qui n'est pas venue ». Puis, il pérorait sur l'époque, il déclarait que dans le Québec d'alors et d'aujourd'hui la quétainerie était plus à la mode que la poésie. Il n'en revenait toujours pas que « Cinq pieds deux... » ait été son grand succès et lui ait fait faire beaucoup d'argent. « C'est la chanson qui m'a consacré chanteur ! » était-il obligé d'avouer dans un rire jaune. « C'est incroyable ! »

Sa voix me faisait penser à celle de Trenet quand il fredonnait « La Pluie ». Je découvrais aussi des textes d'un grand lyrisme qui, pour la plupart inédits, me donnaient l'impression d'avoir été écrits pour moi seulement. Ma préférée était sans contredit « Les Immortelles », qui sur une mélodie mélancolique berçait mon vague à l'âme. « Mon bel amour, voici des immortelles, ce sont les fleurs des dieux, on ne les offre qu'à celles qui les possèdent déjà dans leurs yeux, j'embrasse les pétales de tes paupières. »

La passion me dévorait. Nous faisions l'amour plusieurs fois par jour. Les spasmes du plaisir faisaient de moi la plus grande amante de tous les temps et j'avais élu domicile sur un nuage. Je nous regardais dans la glace au-dessus du lit et je nous adorais follement. J'en étais arrivée à me demander souvent quel jour nous étions tellement la seule chose qui comptait vraiment pour moi était notre amour.

Il aimait plus que moi sortir et rencontrer des gens. Au restaurant, il prenait presque toujours une table pour quatre personnes, au cas où des amis viendraient. Il commandait deux ou trois scotches doubles pour lui et pour moi, un martini sec avec olive avant même de regarder le menu. De drôles de pistolets se joignaient à nous. La plupart étaient là par curiosité, pour rencontrer le grand gourou. D'autres venaient pour se faire payer un verre, vendre quelques grammes de haschisch, parler de leur dernier voyage, de leurs expériences extrasensorielles, souvent dans l'espoir d'être invités à une grande nuit hallucinogène chez Vulcain, car c'est ainsi qu'on l'appelait. Leurs conversations étaient sans intérêt et m'ennuyaient. Je faisais semblant d'écouter mais mon esprit était ailleurs. J'étais préoccupée par des personnages qui m'échappaient. Sans avoir retenu une seule bribe des conversations, je me contentais d'acquiescer d'un demi-sourire ou d'un signe de tête. Je simulais le regard intelligent de qui a tout compris. Lorsqu'il venait me sortir de mes rêveries avec un : « Mon beau trésor, qu'est-ce que tu en penses ? » je prenais conscience que je venais de passer près d'une heure complètement dans les vaps. Selon moi, peu de sujets valaient la peine qu'on en disserte. Je commençais à sentir jusqu'à quel point mon silence l'avait exaspéré. Puis je prenais conscience de mon absence. Une sorte

de trac me saisissait alors de la tête aux pieds. Je
paralysais sur ma chaise, et si par malheur j'ouvrais
la bouche pour parler, je commençais à bégayer.
J'avais beau me raidir, me crisper, aucun son ne
sortait de ma bouche. La honte m'étouffait. Cela se
produisait particulièrement quand j'étais entourée
de personnes que je rencontrais pour la première
fois. Je lui avais souvent manifesté le désir de ne pas
l'accompagner dans ses dîners dit d'affaires. Il
n'avait rien voulu entendre, il rejetait d'emblée ma
timidité. Et puis, je me demandais si ce n'était pas
lui qui me paralysait quand venait le temps de
m'exprimer. Trop souvent nous ne comprenions
pas les choses de la même façon, nous ne jetions
pas le même regard sur les événements. Tout simplement, je refusais de donner mon opinion de
peur qu'il démolisse mes idées. Par contre, les jours
où j'étais certaine d'être en beauté, portant une
robe que je pensais m'aller, bien maquillée, bien
coiffée, après avoir absorbé quelques martinis, je
faisais déjà meilleure figure. Mais je me lassais vite
des gens. J'avais toujours envie de foutre le camp et
de me retrouver seule avec mes pensées, mes projets d'écriture. Au fond, une conversation ne m'in-
téressait que si j'étais certaine de pouvoir la mener.
Dès les premières minutes, je savais si je pouvais
posséder mon auditoire. Je me transformais en fille
marrante dotée d'un je-m'en-foutisme absolu.
J'avais énormément de facilité à jouer un personnage, à adopter un accent, à métamorphoser mon
visage. Je savais faire rire. Mais quand j'étais avec
lui, je ne pouvais pas supporter sa concurrence. Je

lui trouvais plus de talent que moi. Il était mon principal rival et je lui cédais les armes. Il était indubitablement hédoniste et sa philosophie du plaisir lui permettait de raconter les histoires les plus audacieuses pour mieux séduire ses adeptes. Il n'avait qu'à parler des voyages de Cartier pour qu'on se torde de rire du début à la fin. Des fois, je le soupçonnais même de cogiter ses histoires pendant que nous roulions en voiture vers le restaurant car il se montrait toujours très absorbé dans ses pensées. Une fois arrivé rue Drummond, il remettait les clés de sa jeep au gars du stationnement, relevait la tête avec assurance et me décochait une œillade. Je savais qu'il possédait alors toute sa matière. Dès qu'il franchissait la porte du *Castel du Roy*, il était en verve. Il me surprenait et me séduisait presque chaque fois. Il avait l'art d'expliquer les orgies de Jacques Cartier et de ses compagnons, à croire qu'il y était, ajoutant même chaque fois un nouveau détail. Finalement, à mesure que le dîner avançait, c'était l'histoire du Canada en entier qui devenait une suite de partouzes, de séances de baisage invraisemblables qui duraient des mois et même des années. Les histoires de cul, de chasse et de pêche étaient ses principales et intarissables sources d'inspiration. Elles tenaient en haleine un vaste auditoire qui, ensorcelé par ses propos, en oubliait de retourner au boulot.

Nous rentrions généralement vers quinze heures trente. Les yeux dans les yeux, nous nous installions sur le canapé bleu. Puis il se levait, faisait jouer

Dr. John, the night tripper. J'allais lui préparer un scotch avec deux glaçons. Il me souriait, jetait ses vêtements au hasard dans le salon et se disait heureux d'être à poil. Nous faisions l'amour sur le tapis bleu. J'éclatais, j'exultais de la tête aux pieds. L'amour me rendait douce, tendre, et clarifiait mes pensées pour le reste de la journée. Après *Dr. John*, il faisait tourner Stan Getz et Joao Gilberto enregistré au *Carnegie Hall. La Samba. La Samba* des canards. Il battait la mesure en claquant des doigts et comme pour trouver une rime à ce bruit intolérable, il faisait claquer sa langue à son palais. Ça m'énervait ! Il se versait encore du scotch, faisait tinter les glaçons dans son verre et partait se glisser dans les draps bleus de la chambre à coucher. Il lisait le *Journal de la Chambre des communes* et me racontait les passages les plus hilarants des débats. « Est-ce possible d'être gouverné par de pareils cons ? » Puis il ouvrait son courrier, se bidonnait encore plus, spécialement avec les lettres de ses créanciers. Il s'assoupissait finalement dans un sourire béat. Je restais souvent assise à côté de lui avec un coussin du divan bleu dans le dos. Je relisais Simone de Beauvoir, Violette Leduc, je sirotais un thé, lui rappelais de ne pas oublier de prendre ses pilules pour son foie et pour sa goutte afin d'annihiler les conséquences des ris de veau à la crème qu'il avait mangés. Quand il commençait à ronfler, je m'esquivais. J'allais m'installer à son bureau, devant sa machine à écrire, pour écrire notre histoire. J'en profitais aussi pour téléphoner à des amis, pour les mettre au courant que j'étais amoureuse, leur demander d'excuser mon silence. J'enlevais *the night tripper* ou Gilberto et faisais tourner Barbara, «J'ai beau t'aimer encore, j'ai beau t'aimer toujours, j'ai beau n'aimer que toi, j'ai beau t'aimer d'amour...» Juste au moment où j'avais le cœur gros, les yeux dans l'eau pour avoir trop chanté l'amour avec l'aigle noir, l'oiseau de Jupiter, je le voyais apparaître dans l'embrasure de la porte du salon, s'arc-boutant au mur du hall d'entrée, encore chancelant de ce qu'il appelait son «sommeil réparateur». Il venait m'embrasser et m'appelait «Mon castor», «Mon canard sauvage», «Mon pigeon voyageur», «Mon béluga». C'était sa façon subtile de m'annoncer le sujet qu'il se proposait de traiter dans son article.

Il s'enfermait dans son bureau et j'allais le ravitailler en scotch toutes les demi-heures. Rien ne devait le distraire quand il écrivait et il me demandait même de prendre tous les messages téléphoniques. Deux heures au maximum et tout était prêt. Je téléphonais alors au *dispatcher* du taxi Diamond et je lui demandais d'envoyer quelqu'un de très fiable qui se rendrait, dans les plus brefs délais, porter en main propre l'enveloppe brune, adressée au crayon-feutre bleu ou rouge, au chef de pupitre de *La Presse*.

— Vite, vite, vite! Vous n'avez pas un instant à perdre, ils attendent le texte pour le mettre sous presse.

La chronique partie, une nouvelle vie recommençait et c'était de nouveau le moment des déclarations d'amour: «Mon bel amour, ma chérie, je t'aime, tu es belle.» Nous faisions encore l'amour, assis sur le divan bleu. Nous ne sentions la faim qu'assez tard dans la soirée. Souvent il commandait à une rôtisserie du poulet grillé. Il achetait toujours quelques cuisses et poitrines supplémentaires pour les amis susceptibles de nous rendre visite. Il faisait aussi livrer abondance de mets chinois qui finissaient souvent par empester au réfrigérateur des semaines durant, jusqu'à ce que la femme de ménage les découvre. Il préférait le *shop suey* aux légumes et moi le poulet aux amandes. Les rares fois où je faisais la cuisine, il optait pour l'omelette aux fines herbes ou les côtelettes grillées. Les autres jours, il se contentait tout simplement d'une crème d'asperges en boîte et de quelques fruits frais avec des petits-beurre.

Elles étaient plutôt rarissimes nos soirées en tête à tête. Entre vingt-deux heures et trois heures du matin, quand ce n'était pas au lever du jour, défilaient dans ce salon bleu les êtres les plus hétéroclites et les personnalités les plus diverses de la métropole : un dirigeant de la pègre, un psychiatre, un comédien de téléromans, un ami du général de Gaulle avec sa canne à pommeau d'or, cadeau de ce dernier, un chanteur populaire qui venait tirer un joint et chanter «Que sont mes amis devenus» avant de prendre l'avion pour aller rejoindre sa blonde à Paris, un financier, un jardinier, un chercheur découvreur du LSD, un écrivain, un ivrogne, un peintre, un garde-chasse, un *pusher*, un ministre des Territoires, de la Chasse et de la Pêche et bien sûr plusieurs bas-bleus en mal d'aimer. La plupart du temps, nous fumions de la bonne herbe d'Acapulco. Sur un simple coup de fil, une commande arrivait *illico* par taxi. Le salon se remplissait vite de volutes bleutées qui s'enroulaient au plafond du salon avant d'aller mourir sur celui du passage et de la salle à manger.

Assis en tailleur autour de la table à café, on faisait circuler la cigarette de Jacques à Marie, à Patricia, à Dyne, à Ginette, à Guy, au docteur Oleg, à Alain et à Paul. On respirait à fond de train, on fermait les yeux, se balançant devant derrière, se repliant comme un fœtus, et parfois même on se roulait sur le tapis bleu, en extase devant un couple qui se formait dans un coin du salon et faisait l'amour, quintessence de la nature humaine. Mon compagnon était toujours prêt à assouvir le manque affectif d'une jeune fille qui se tordait d'extase et d'admiration pour lui, émergeant chaque fois d'un trip vulcanien ou jupitérien sur la beauté du monde et de la femme serpent rampant hors des paradis perdus. Il allumait çà et là des bâtons d'encens et proposait le calumet de paix, rempli de ce que le frère Marie Victorin appelait chanvre indien ou *cannabis sativa*. Il brandissait un narguilé quelque peu terni, sorti de je ne sais trop où. Je me demande s'il ne s'agissait pas d'un héritage de Rose la Française, sa grand-mère fondatrice du *Chinatown* qui, chaque nuit, allait quérir dans le port de Montréal des petits hommes jaunes qu'elle dissimulait dans le coffre arrière de sa voiture-taxi avant de les débarquer rue Saint-Laurent pour la modique somme de cinquante dollars par tête de pipe. En guise de récompense ultime, elle avait été la seule femme admise dans les fumeries d'opium du quartier chinois de Montréal. Avec assurance, dardant autour de lui son œil de sphinx, mon compagnon allumait de son Zippo le *cannabis sativa* qui ne tardait pas à s'embraser dans le souvenir de famille. À quatre pattes, on allait à tour de rôle tirer une bouffée dans le grand tuyau de la pipe. « *What a trip, man !* » Les *partys* les plus *high* et les plus *hot* en ville, c'est rue Coronet que ça se passait.

Vulcain nous faisait jouer à tue-tête *Dr. John, the night tripper*.

— Écoutez, mes frères, écoutez bien ce sont des mots français : « Croque, croque un court-bouillon. » Ce sont des gars de chez nous qui chantent ça, des Acadiens déportés en Louisiane, des Cajuns comme on les appelle là-bas. Ils vivent dans des *swamps*. Vous entendez leurs noms, Jean Créaux, Harold Baptiste, Cécile la favorite, Jeannine Corriveaux. Portez attention aux paroles de Mama Roux : « *Come man, find me in the little wagon boot* ». C'est elle, la putain de la rivière, qui initie les jeunes hommes à l'amour. Mama Roux !

Et le comédien de couper la parole à Vulcain :

— C'est en Californie que j'ai écouté le *Dr. John* pour la première fois, *man*. C'était merveilleux. Je me souviens de ces nuits où les étoiles brillaient comme de l'or. On tripait avec des filles qui portaient de longues robes à fleurs et distribuaient des baisers aux oiseaux, à la nuit, aux arbres, au vent, à la vie.

— Viens, mon frère, lui disait encore Vulcain.
Danse, danse pour nous, danse avec Mama Roux.
Remets ton chapeau, le comédien, ton grand chapeau violet. Comme tes mains sont belles, longues
et fines. Regarde les jolies arabesques qu'elles des-
sinent sur le mur du salon. Comme tes jambes sont
souples et agiles. Danse, danse encore pour nous.
Toute la musique du *Dr. John* est montée dans ton
corps. Frère, nous t'aimons ! Danse, danse-nous la
vie ! Danse-nous la mort !

Nous étouffions presque dans le salon bleu
enfumé. L'air était raréfié, il faisait une chaleur
d'étuve. Le désordre régnait vite, la sueur, la puan-
teur se mêlaient aux odeurs de *pot*. Pour pouvoir
respirer, quelqu'un cherchait à ouvrir la petite
fenêtre à côté du divan bleu. Je suffoquais. Nous
suffoquions ! J'allais dans la cuisine me faire une
théière de thé vert que je sirotais avec mélancolie.
L'air de l'appartement était irrespirable. Je me sentais comme prise dans un étau. J'aurais voulu me
retrouver à la campagne. Habiter à longueur
d'année un troisième étage, sans balcon, sans
aucune vue — toutes les fenêtres donnaient sur les
murs des voisins ou encore sur des escaliers de
secours — était infect. J'avais beau l'aimer, je me
sentais emmurée et c'était l'été le plus chaud que je
n'avais jamais connu.

Nous arrivions à nous échapper pour la fin de
semaine. Je l'accompagnais dans des voyages de
pêche. Nous visitions les plus beaux lacs de la province. J'étais sous le charme. J'y trouvais chaque
fois un décor champêtre à ma dimension et il en

profitait pour me traiter de bucolique. Je respirais enfin, assise sur un rocher au bord d'un lac, détectant l'odeur de l'humus qui faisait chavirer en moi des souvenirs d'enfance. Je regardais les arbres, le ciel. Il me parlait de chacun des oiseaux qui fendaient l'air, décrivait leur vol et s'amusait à imiter leur cri. Nous allions aussi dans des clubs de tir au pigeon d'argile. Il était habile tireur, se révélait vite un champion. Je lui trouvais beaucoup d'allure dans ses tenues sportives bleu clair ou kaki. Il parlait de l'automne avec beaucoup d'impatience, de morosité, comme s'il avait toujours peur de rater le suivant, pressentant qu'il ne lui restait plus très longtemps à vivre. Regardant au loin de son œil vif, il me décrivait les oriflammes jaillissant de la forêt laurentienne comme des taches de sang qui éclaboussent la voûte céleste. Il évoquait la chasse aux oies blanches comme un des grands plaisirs de ce monde. Je lui disais ma répulsion à tuer, à voir du sang. Il était attendri par ma sensibilité, mon romantisme, il me prenait dans ses bras et nous faisions l'amour n'importe où, sur le sable, sur la mousse, dans la toundra. Tard dans la nuit, nous retournions dans notre petit chalet en bois rond, sans eau ni électricité. J'avais le cœur léger, l'imagination farcie de la faune, de la flore du Québec et la mémoire truffée de citations du frère Marie Victorin pigées dans *La Flore laurentienne*.

Nous rentrions en ville le dimanche soir. La femme de ménage était venue retaper notre appartement et j'envisageais de recommencer un autre cinq jours de bonheur, de vie commune.

Après trois mois, je connaissais mon homme presque par cœur. Je devinais toutes ses réactions. Je prévoyais nos bonheurs une journée à l'avance. Notre amour avait terni.

Assise au salon sur le bout du divan bleu, je finissais un soir de lire *Les Mots* de Sartre. « Tout un homme né de tous les hommes et qui les vaut tous et qui vaut n'importe qui. » Je me répétais cette phrase pour au moins la cinquième fois et je poursuivais avec : « On se défait de ses névroses mais on ne se guérit pas de soi. » Je restais encore plus songeuse. J'en profitais pour m'interroger longuement sur mon *ego*. Après de petites incursions dans ma vie passée, il y avait comme un trou noir, je ne voulais pas me souvenir. Je ne retenais que des fragments, des strophes qui n'avaient aucun lien les unes avec les autres, un immense peuplier, un long escalier de chêne, une rue déserte, des rosiers gelés, des rafales de neige, un enfant sale et pauvre... Finalement, mon esprit s'envolait, retenu par quelque chose d'autre. Je ne me rappelais plus très bien mes parents, ce qu'ils représentaient pour moi. Ce dont je me souvenais le mieux dans cette enfance passée en province, c'est que la mélancolie ne me quittait jamais. Et puis, je ne voulais pour rien au monde me perdre dans les méandres du souvenir et je revenais vite au présent.

Je pensais à mes écritures qui n'aboutissaient pas, aux personnages qui me hantaient. Je me demandais surtout si le fait de vouloir écrire un roman n'était pas tout simplement un prétexte pour fuir la réalité. Je me questionnais aussi à savoir si je ne voulais pas vivre des expériences en fonction de ce que je pourrais en tirer pour un éventuel roman. Perversité! Je ruminais, je m'exprimais de moins en moins, je ne savais plus partager mes idées, j'évitais de parler, je vivais des états d'âme qui m'étranglaient. Les uns après les autres, je les enfonçais au fond de mon être. C'était peut-être à cause de la chaleur de juillet si je me sentais si abattue! Le petit ventilateur sur la table du salon tournait à grande vitesse mais ne me renvoyait que de l'air humide et de la poussière. J'écrasais mon mégot de cigarette, je réussissais tant bien que mal à lui faire une petite place dans le cendrier rempli à ras bord. Je n'entendais plus que le bruit exécrable de la machine à écrire.

Il était dans son bureau, à trois mètres de moi, et pourtant si loin. Je réussissais à me lever. Je me dirigeais vers la chambre à coucher. Seule une odeur agréable pourrait me ranimer. J'allais me parfumer au *Vent vert*, ou au *Bandit*. Je savais qu'il lèverait la tête quand je passerais devant son bureau et baisserait en vitesse les yeux sur son texte, en susurrant un «chérie», puis qu'il m'enverrait un long baiser bruyant en pressant fortement les lèvres. Je me sentais terriblement seule et cafardeuse. J'éprouvais tout de même un certain réconfort à le savoir dans le même appartement que moi. Au moins, il daignait me regarder quand je passais près de lui et m'expédier un mot tendre. Enfin, j'avais eu ce que je voulais de cet homme «né de tous les hommes et qui les vaut tous».

Je laissais divaguer mes pensées. Plutôt je me berçais du bruit lancinant de sa machine à écrire. Je m'ennuyais. Je tentais de m'intéresser à *La Presse* qui était étalée par sections sur le divan bleu, sur le tapis bleu. Je rangeais le *Time* par-dessus le *MacLean's* au fond de la table. Les cendriers débordaient et j'allais les vider dans la cheminée. J'avais les pieds humides. J'enlevais mes chaussures. J'avais l'impression d'être plus détendue. Je sursautais quand il me criait soudain de son bureau :

— Impeccable, ça prend deux *c* ?

— *Why not* ?

— Viens me servir un scotch, mon amour !

— Ta bouteille est à côté de toi.

— Je n'ai plus de glace, viens m'en porter.

— Attacher, ça prend deux *t* ?

— *Yes*, deux fois.

— Pourquoi ?

— Pour la glace et pour les *t*.

Je détestais faire de la glace. J'allais dans la cuisine et constatais vite que tous les bacs étaient vides. Je les remplissais d'eau et les plaçais au congélateur, puis lui criais :

— Y en a plus !

— Tu sais que je n'aime pas boire mon scotch sans glace. Apporte-moi un verre d'eau froide !

J'avais horreur de recevoir des ordres. J'avais presque envie de lui lancer son verre d'eau en pleine figure. Je retournais m'asseoir sur le divan bleu. Je prenais dans mes mains la radio transistor. Je l'allumais. Elle fonctionnait. Je tournais trop vite la roulette et je n'entendais plus que des grincements. Je n'avais aucune patience. Je la redéposais à sa place, à côté de la lampe, sur la table en avant de la fenêtre. Je basculais les battants de la fenêtre habillée de bleu, mais l'air ne pénétrait pas. J'avais le front en sueur et qui dégouttait.

— Aperçu, ça prend combien de *p*?

— Un *p* puisqu'on peut apercevoir avec un œil.

J'allais ouvrir la crémone de la fenêtre de la salle à manger. Les tentures étaient de mauvaise qualité et sales. L'été était suffocant et j'en arrivais à croire que je ne l'aimais plus. Je m'allongeais sur le divan bleu et passais la tête de l'autre côté de la fenêtre. Je ne respirais pas mieux.

— Mon castor, place la télé sur le tourne-disque et allume-la. C'est jeudi, il est presque dix-neuf heures trente et c'est *Star Trek* au douze.

Il continuait de taper. J'allais de nouveau m'écraser sur le bout du sofa bleu et je regardais la télé. Grand et nonchalant, son texte dans les mains, il entrait dans le salon.

— Pousse-toi. Mais pousse-toi donc! C'est sacré, ma place, tu devrais le savoir.

Je me traînais jusqu'à l'autre bout du divan.

Il s'installait confortablement, plaçait deux ou trois coussins dans son dos, allongeait ses jambes sur la table à café. Il mettait la grande enveloppe brune sur ses genoux et, avec son crayon-feutre à l'encre rouge, il l'adressait d'une longue et soignée écriture. Il glissait son texte dans l'enveloppe qu'il collait d'un seul coup de langue. Il plaçait enfin son œuvre terminée et bien scellée sur la table à café.

— Tu es d'une humeur massacrante!

Je ne voyais pas l'utilité de lui répondre. Il appuyait sur les touches automatiques du téléphone et demandait à parler au *dispatcher*. J'avais mal à la tête. Il répétait toujours les mêmes gestes aux mêmes heures. Il m'agaçait. Il sentait la sueur. Il écoutait *Star Trek* avec un ravissement d'enfant. Je préférais ne pas le regarder. La télévision faisait un bruit infernal. Il avait le visage rouge, bouffi. Le scotch lui sortait par les oreilles. Il avait les pieds plats, les ongles trop longs. Je prenais le bouquin de Sartre dans mes mains et lui disais:

— Écoute: «Tout un homme né de tous les hommes et qui les vaut tous et que vaut n'importe qui.» Qu'est-ce que tu en penses?

— C'est discutable!

Il était absorbé par sa maudite télévision. J'avais envie d'entreprendre une longue conversation philosophique, de lui faire rater toute son émission. On ne parlait jamais de choses valables.

— J'ai chaud. Sers-moi un scotch, ma grande sartreuse!

Je m'approchais de lui. Je le tenais par le bras.

— Tu pourrais au moins dire: «s'il te plaît».

— Laisse faire tes enfantillages!

« Si j'entrais mes ongles dans sa peau? Lui faire mal. Non, plutôt le mordre pour le faire crier! »

Je ne faisais rien, je ne rétorquais pas non plus. Je me résignais à lui servir un scotch. Il faisait trop chaud pour discuter. Je me répétais que nos conversations avaient toujours manqué de profondeur. Je m'enfermais dans mon mutisme. Depuis la veille, c'était encore pire. Nous ne nous parlions que par monosyllabes, et quand je passais près de lui je faisais semblant de l'ignorer. « S'il croit que je l'aime ! »

J'osais à peine le regarder. Il avait déjà terminé son scotch. Il allait bientôt m'en redemander un autre. On sonnait à la porte. Je sursautais. Mes pensées « destructrices », comme il disait, m'absorbaient complètement.

— Va ouvrir ! m'ordonnait le pacha.

Si je me rendais jusqu'à la porte, c'était pour mieux sortir. Après le deuxième coup de sonnerie, je prenais sur moi. Je regardais par le judas.

— Qui est-ce ?

— Taxi Diamond.

J'ouvrais et tendais la grande enveloppe brune adressée en rouge, le rouge de la colère. Le chauffeur à son tour me remettait une grande enveloppe brune bourrée et elle aussi adressée en rouge. C'était le courrier de la semaine.

— Merci !

Je verouillais la porte à double tour. Je lui tendais l'enveloppe. Il examinait son courrier avec circonspection. Il allongeait le bras pour prendre le coupe-papier et commençait à découper dans les enveloppes en soupirant :

— Mon Dieu que c'est fatigant !

Il faisait le tri. Il lançait à sa gauche, sur le tapis bleu, les enveloppes vides, cachait sous sa cuisse droite les cartons d'invitation, déposait sur la table à café les lettres de ses admiratrices, au-dessus de quarante ans naturellement, qu'il se proposait de lire plus attentivement au lit après les avoir parcourues des yeux.

— Écoute, écoute ça : « Mon mari n'aime pas la pêche. Depuis quelques années, j'accompagne son meilleur ami qui l'autre jour m'a fait des avances. Devrais-je mordre à son hameçon ? » Tu enverras la lettre à ma mère, c'est elle qui fait le courrier du cœur.

Il avait des fourmis dans les jambes. Il déchirait maintenant les enveloppes et d'un mouvement brusque faisait dégringoler par terre toutes les invitations.

— Maudit qu'il fait chaud ! Tiens, lis-moi mon courrier, ça va te détendre !

Malgré moi, je pouffais de rire même si j'avais envie de le foutre là. Il savait me dérider. J'appréciais qu'il ironise et plaisante alors qu'il savait pertinemment que mon âme était en pleine tourmente. Je lui souriais béatement et marmonnais entre mes dents : « Je te déteste ! »

Je pouvais exploser d'un moment à l'autre. Je tendais les bras dans sa direction pour attraper le coupe-papier. J'avalais, je ravalais, j'essayais de lire des écritures indéchiffrables et stupides :

« Je pense à vous chaque soir en me couchant. Je m'imagine dans vos bras en pêchant la truite. Quelle est la meilleure heure de la journée pour prendre le poisson ? » Ou encore : « J'ai les cheveux très longs. Est-ce que les chauves-souris peuvent s'agripper à ma chevelure quand je me promène en bateau ? Serais-je mieux de porter un chapeau ? » Quand ce n'était pas : « Mon mari aime pêcher aux vers, moi à la mouche. Cela cause des frictions entre nous. Qui dois-je choisir ? » Ou tout simplement d'actualité : « Nous nous sommes construit un chalet de chasse et pêche sur un terrain trouvé. Croyez-vous qu'avec le déclubage le Gouvernement peut nous déloger ? »

— Assez de conneries ! Va poser ça sur mon bureau. Ma secrétaire va venir demain matin.

Il se remettait tout oreilles à la télévision. C'était maintenant un western, ça criait fort. Des coups de fusil retentissants. Pouf. Pouf ! De belles mômes, de la passion, de la violence, la vraie vie, de l'action, un film pour hommes seulement.

Un grand coup de sonnette me faisait encore sursauter. Je m'empressais d'aller ouvrir.

— Avant d'ouvrir, informe-toi de qui est à la porte !

— Comme si je ne le savais pas !

L'œil collé au judas, je criais :

— Qui est là ?

— Alain, le comédien !... J'ai du bon stock, du pas possible, hé *man* ! qu'il disait en brassant les poux de sa tignasse d'une main agitée. Je viens de recevoir cette enveloppe de « mari » en cadeau. C'est un de mes amis qui me l'a rapportée du Pérou. C'est de la *mucho cojones*. Tu vas triper, *man*, comme jamais ! C'est de la pure, de la vraie. C'est pour ça que je tenais tant à venir la fumer avec un connaisseur.

Mon homme était fou de joie. Il allait et venait dans le salon. Il ouvrait tous les tiroirs du bonheur-du-jour. Il cherchait le papier *Zig Zag*. Accroupi comme un Bouddha, Alain enlevait sa veste crasseuse et sortait cérémonieusement de sa poche une petite enveloppe blanche qui contenait la *mala hierba*.

— Laisse tomber, si tu ne trouves pas le papier *Zig Zag*. On va vider une *Du Maurier*. Attends! Attends! J'ai un paquet de *Kool*. Ça laisse un petit goût de fraîcheur dans la bouche.

— Chérie, tu fais bien ça, sors-nous le tabac avec tes beaux petits doigts. As-tu refermé la porte à double tour?

J'installais le gros cendrier de céramique blanche sur mes cuisses. Je pressais une cigarette *Kool* entre mes doigts pour en faire sortir les trois quarts du tabac. J'avais un doigté terrible pour vider les cigarettes. Je la lui rendais délicatement, le papier à peine froissé, pour qu'il la remplisse de marijuana. Il l'allumait avec dévotion, inclinait la tête en arrière, s'étirait avec un grand sourire. Il passait la cigarette à Alain, lui faisant signe de me la donner ensuite. Il me disait invariablement de faire attention pour ne pas faire tomber la cheminée. Je tirais de tout mon cœur. Je voulais m'étourdir. L'odeur m'exaltait. Le silence était complet. Nous nous envolions sur les ailes du Jupiter ou du Vulcain avant de retrouver les autres dieux de l'Antiquité. J'étais tour à tour Aphrodite, Artémis, Junon.

Il disait:

— Mais moi je sais que le vrai voyage, ce n'est pas celui-ci. Le « beau voyage », le «grand voyage» n'est pas de ce monde.

Il regardait au loin en plissant l'œil gauche comme s'il entrevoyait le paradis de l'éternité. Puis il arborait un certain sourire : il savait des choses qu'il voulait garder pour lui seul. Une vie intérieure éclairait son regard et je le rejoignais dans mon abîme intérieur. Comme lui, j'avais le mal de l'existence, le mal de l'absolu.

Alain tirait sur le mégot d'à peine quelques centimètres. Il se brûlait. Il avait déjà le bout des doigts brun. Il soulevait sa croupe anormalement arrondie et dépliait les jambes. Il ajustait ses lunettes du revers de la main. Elles étaient aussi graisseuses que ses cheveux. Il avait l'œil vague. Je me demandais s'il pensait et à quoi. Au moment le plus inattendu, il décidait d'ouvrir la bouche :

— Tu sais que mon petit frère a été matraqué par les policiers pendant le défilé de la Saint-Jean lundi dernier ?

Et l'autre de lui répliquer, tentant d'allumer une deuxième cigarette de mari :

— Quand est-ce que tu pars pour les États ?

— J'ai l'impression que Devirieux va perdre sa job à Radio-Canada. Il a dénoncé le numéro matricule d'un policier. Ah ! les écœurants, les sauvages !

Alain parlait tout seul. Il continuait de tirer sur son mégot et une étincelle tombait sur son pantalon. La cigarette de mari devenait une petite boule de feu qui lui restait dans la gorge. Il se leva d'un bond, dansant, sautant, criant :

— Au feu ! Ça brûle ! C'est affreux !

— Regarde ton pantalon qui flambe !

Mon compagnon éteignait le tout en vitesse avec la tenture bleue de la salle à manger.

— Voilà, tout est fini ! Tu l'as échappé belle, mon vieux !

— Maudit que ça brûle !

— Maudit ! T'avais juste à l'éteindre avant !

— Je ne voulais pas en perdre ! C'est du trop bon *stock* !

Alain était assis par terre. Il gardait la tête basse. Songeur, il releva ses lunettes qui lui descendaient sur le bout du nez. Nous nous taisions tous les trois. L'atmosphère suffocante était remplie de l'odeur de la mari.

— Mon bel amour, prends le grand ciseau de chirurgien du Dr Oleg. Il est dans le dernier tiroir du bonheur-du-jour. Ça fera une maudite bonne pince pour tenir le mégot !

Il se renversait la tête vers l'arrière pour mieux respirer ou pour mieux apprécier son voyage. Il se tâtait le ventre de la main gauche. Il avait mal au foie.

— On devrait toujours fumer du *pot*. C'est moins dommageable pour la santé que l'alcool. C'est d'ailleurs ce que nos Indiens fumaient dans leur calumet de paix. Dire que maintenant c'est défendu par la loi ! On se demande des fois ce que ça vient faire, la civilisation !

Je prenais la cigarette des doigts d'Alain. Je tirais d'énormes bouffées. Je voulais partir en voyage mais ma joie ne venait pas. J'étais simplement étourdie.

Jupiter, qui revenait d'un grand *trip* de Néanderthal, pensait tout à coup à demander à Alain des détails sur la fête de la Saint-Jean et des précisions sur l'arrestation de son frère.

— Il a fallu un cautionnement de cinq cents dollars pour sortir mon frère de là. C'est écœurant! Tu parles d'un *racket*! Le pire, c'est qu'il y avait des gens pauvres là-dedans et cinq cents piastres ça représentait une somme énorme pour eux! Si tu n'avais pas d'argent, tu restais en prison pour deux semaines. On a foutu dans la même cellule parfois jusqu'à vingt-cinq personnes. Aussitôt que quelqu'un osait demander un verre d'eau, on lui criait: «Ta gueule, mon christ!» Si par malheur quelqu'un ripostait, il recevait un coup de matraque à travers les barreaux de la cellule. Des vraies brutes, ces policiers-là! Mon frère m'a raconté qu'il a vu un agent matraquer une fille de quinze ans qui a fini par perdre connaissance. Il l'a finalement traînée dans la rue par les cheveux. Il l'a même passée sur des bouteilles cassées et l'a lancée de toutes ses forces dans le panier à salade, tailladée de partout et pissant son sang. C'est ça le Québec libre! De Gaulle avait vu juste! On ne peut même plus assister au défilé de notre fête nationale sur la rue Sherbrooke sans risquer sa vie. Ah! les chiens sales. Les policiers, une *gang* de bandits! Une chance que je n'y étais pas, je les aurais tous égorgés. On est restés tranquillement à la maison le soir du vingt-quatre. Dire qu'on pourrait être en prison à l'heure qu'il est. Les cons! ils ramassaient n'importe qui d'après ce que rapportent les journaux. Pendant dix minutes, on a regardé le défilé à la télé. Ça ne valait même pas le coup. C'est une vraie honte d'être un peuple aussi veule ! Notre patron, un petit frisé qui tient un mouton dans ses bras. Un mouton, c'est fait pour être tondu, comme un Québécois ! Ça me fait brailler !

Il avait le feu aux oreilles. Il se promenait de long en large dans le salon.

— Bande de moutons de Panurge ! Rien de plus. Les politiciens, les policiers, des vendus, des pourris. Loin de protéger la ville, ils protègent leurs intérêts. J'ai soif, pas toi ? Tu devrais passer un coup de fil à Desrosiers pour qu'il nous envoie une bouteille de scotch. La maudite grève à la Régie ! Si ça peut finir ! On est toujours en grève de quelque chose ici, dans la Belle Province. Ça aide pour le développement économique ça ! On va être obligés bientôt d'aller acheter notre scotch chez les Anglais, dans l'Ontario !

Alain décrochait le récepteur du téléphone sur la table à café et pianotait sept chiffres sur le nouvel appareil.

— Desrosiers est là ? Non ? Merde ! Il n'est jamais là !

Mon compagnon se levait, poussait un grand soupir, allait se verser un grand verre d'eau froide qu'il avalait d'un trait puis il revenait examiner avec circonspection la grande paire de ciseaux, des ciseaux longs de trente centimètres au moins.

— C'est une arme de charcuterie extraordinaire, ce ciseau-là. C'est le Dr Oleg qui nous l'a apporté l'autre jour. Il y a un paquet de gars qui y ont goûté, crois-moi!

Il ouvrait et fermait le ciseau avec rapidité, accompagnant son geste de cascades de rires. Tic! tic! tic! tic! tic! tic!

— Ça me rappelle certains salons de barbier où, juste avant d'entreprendre son client, le coiffeur, ciseau ouvert dans la main droite, s'exécutait comme une danseuse espagnole dans un flamenco de tic! tic! tic! tic! tic! tic! J'allais chez un barbier de ce style-là sur la rue Saint-Denis quand j'étais petit gars. Il me jouait du ciseau dans l'oreille quelques minutes avant de me couper les cheveux. Tic! tic! tic! tic! tic! tic!...

Nous éclations de rire tous les trois. Cela me faisait du bien à ce moment précis où je me disais justement que ça ne *fitait* plus lui et moi. Je le trouvais de plus en plus commun et grossier. J'avais l'impression de vraiment voir tout son personnage pour la première fois. Il m'était étranger. Il arpentait de nouveau le salon en s'étirant, se curant les dents avec des allumettes en carton. Ça m'énervait. Puis, il se laissait tomber sur le divan bleu et affirmait d'une voix un peu molle :

— Quand on fume du *pot*, le plus marrant est de regarder la télévision. C'est drôle à mort!

Il détendait ses longs bras, ses longues jambes, et ouvrit le poste à tue-tête. Comme deux frères, Alain et lui fixaient l'écran comme si une apparition allait surgir. Une jeune dame nous montrait une photo d'elle à l'âge de quinze ans pendant que l'animateur nous faisait sa biographie. Et Jupiter, amateur de femmes, de renchérir :

— Elle n'était pas plus baisable à quinze ans qu'elle l'est maintenant ! Au moins, il y a des femmes qui à une certaine époque de leur vie peuvent dire qu'elles ont goûté à l'amour, qu'elles ont été désirées. Hein, mon amour !

La femme les faisait pouffer de rire. Et Alain d'ajouter :

— Ô Dolorès, Ô toi, ma douloureuse ! Je débande juste à la regarder. Quelle horreur ! Un véritable éteignoir de concupiscence !

— Pas de seins, la fesse en goutte d'huile, le menton en galoche, l'œil en déroute, la bouche en cul-de-poule, je me demande où elle regarde !

Et dardant son œil marron du côté d'Alain, Jupiter lui disait :

— Je pense que c'est toi, *man*, qu'elle regarde !

Les deux larrons en foire se tordaient de rire et se massaient les côtes. Alain était presque étranglé. Leur vulgarité m'attristait. Je détestais les hommes misogynes et irrespectueux. J'éprouvais de la compassion pour la femme laide. Finalement, je me disais qu'il y avait une guenille pour chaque torchon et que ce n'était pas si important que ça de ne pas être belle. L'essentiel, c'était l'intelligence, la générosité de la personne ! Ils étaient de belle humeur, gais, accroupis l'un en face de l'autre, et ils fumaient le calumet de paix comme de vrais Indiens. Lui, il était plus en verve que jamais et s'amusait à gratter des allumettes de bois avec ses ongles. Il lui parlait du chef-d'œuvre de Stanley Kobrick qui venait de sortir en salle, *2001, l'odyssée de l'espace*, et qu'il était allé voir à trois reprises.

— *Man*, manque pas ça!

Je partageais à nouveau leur fou rire quand on annonça comme film de fin de soirée *Trois Vieilles filles en folie*.

Nous avions rigolé jusqu'à nous en rendre malades, la tête enfoncée dans la poitrine. Le temps ne comptait plus et je pensais que le lendemain je ne me souviendrais pas quand et comment je m'étais endormie et que finalement j'aurais la gueule de bois. Lui, il continuerait de boire son scotch comme si rien n'était et irait raconter ses histoires à midi au *Castel du Roy* ou au *Café des Artistes*.

Je m'ennuyais. Il ne me faisait plus rire. Dans *La Presse*, on faisait une bonne critique de ses émissions et de ses articles. Il était plus que satisfait. Son orgueil était flatté. Ô vanité masculine! Il allait jusqu'à me demander de découper les articles et de les coller dans son album. Il gardait tout ce qu'on avait écrit à son sujet. Il criait à la cantonade:

— Christ, je n'ai jamais eu d'aussi bonnes critiques de toute ma vie.

Et se tournant vers moi:

— Mon amour, va acheter toutes les *Presse* que tu pourras trouver à la pharmacie Brodeur. Je veux en donner à mes amis.

— Plutôt que de les donner, tu devrais en tapisser les murs du salon, de la salle à manger et de la chambre à coucher qui sont tout gris! que je luis répliquais.

Je ne l'avais jamais soupçonné d'être aussi vaniteux. Je lui proposais de sortir, d'aller manger au restaurant et de signer des autographes.

Il n'appréciait pas tellement que je me moque de lui. Je savais que je lui faisais de la peine. Il m'attendrissait. Nous nous retrouvions encore étendus sur le lit. Je le regardais dans la glace du plafond. Il ne bougeait pas. Il avait les jambes ouvertes en ciseau, les bras de chaque côté, à peine écartés de son corps, le regard fixe comme s'il cogitait des projets que je ne connaîtrais sans doute jamais puisque je pensais à le quitter. Je nous regardais dans le miroir du plafond et je ne nous reconnaissais plus. Je voyais plutôt une grande chambre à coucher dans un parfait désordre. Je m'empêtrais dans les couvertures, les draps froissés. J'osais à peine bouger. J'écoutais le robinet de la baignoire qui, au rythme des battements de mon cœur, gémissait goutte à goutte. Nos vêtements sales étaient étalés sur la commode ou traînaient par terre sur la descente de lit, un horrible tapis natté gris, rouge et vert. Il bougeait la main droite, la rabattait en vitesse sur son estomac, la relevait doucement, la passait nonchalamment sur son visage et la laissait tomber le long de son corps. Il respirait à petits coups. Son silence n'avait rien de rassurant. Se répandait dans cette chambre bleue une odeur chaude, poisseuse qui montait de la rue par la petite fenêtre aux tentures bleues et sales. Le store était complètement baissé mais sur le mur d'à côté se dessinait l'ombre des voitures qui venaient et repartaient sur le chemin de la Reine-Marie à la

hauteur de l'oratoire Saint-Joseph. La circulation
était dense, c'était l'heure de la messe du dimanche. J'avais l'oreille écorchée par le bruit strident
des voitures, des camions, des motocyclettes qui
filaient, qui stoppaient et qui se renversaient sur le
macadam brûlant. Depuis une semaine, Montréal
était en pleine canicule. Sans le vouloir, je prêtais
l'oreille au bruit des moteurs, au crissement des
pneus, et parfois il en émergeait des bribes de concerto, un fragment d'attentat, un «je t'aime moi
non plus» d'une chanson à la mode, un bruyant
accord de *rock and roll*, et un «sacrement» d'un
conducteur qui attendait le feu vert, le poste de
radio ouvert. Je me levais pour ouvrir la fenêtre
jusqu'en haut mais il ne venait pas plus d'air. Je
m'appliquais à écouter, en provenance de l'appartement du dessous, la diva qui commençait ses voca-
lises avant d'entreprendre le répertoire de Charle-
bois : «Astro Jet! Pis Pan American! Mais j'sais pus
où chus rendu!» On en avait pour quelques
heures. Je m'étendais sur le ventre et plongeais la
tête dans l'oreiller pour ne plus rien entendre.

— Il faudrait changer les draps! que je lui mar-
monnai. Ils sont froissés, souillés, humides!

C'était devenu une obsession! Il ne me répondait pas, ne bougeait pas non plus. Je m'étais mise
à rêver de draps bien frais, glacés même et sentant
la lessive, la lavande, de ce percale qui vous glisse
sur la peau. Le réveil tictaquait sans arrêt. Il était
dix heures vingt, vingt et une, vingt-deux, vingt-
trois secondes... Je relevais la tête, c'était la première fois que j'avais l'occasion de vraiment regar-

der un tableau par en dessous. J'avais toujours vu
le nu de Tex dans le miroir du plafond. Observés
de cet angle, le visage de la femme était beaucoup
plus triste et les couleurs de sa chair se confon-
daient avec celles du tissu du divan sur lequel elle
était allongée. J'avais envie de décrocher le tableau
pour le regarder bien en face. J'étais certaine qu'il
aurait une tout autre perspective. Peut-être que la
femme serait plus heureuse. Et puis non, le mur me
paraîtrait encore plus terne. Je promenais mon
regard circulaire d'un mur à l'autre. Je m'observais
dans la glace de la commode et le regardais lui,
dans le miroir du plafond, étendu, le corps long,
peu musclé, pas plus poilu que celui d'une femme.
Les membres étaient élégants et la peau fine bien
tendue. Les jambes surtout étaient belles, longues,
fortes, très droites, agiles, celles d'un marcheur
infatigable qui ne veut jamais marcher. Il avait les
cheveux très fins comme un enfant, mi-blonds, mi-
châtains, ni trop longs ni trop courts, coiffés sur le
côté. Son regard marron était aussi vif que celui
d'un écureuil. Il avait l'œil absolu comme on peut
avoir l'oreille absolue. Ses dents étaient toutes
recouvertes de couronnes. Les attaches de son cou
étaient assez délicates, ses mains fines, les doigts
longs. Ses bras étaient sans force et ne savaient pas
étreindre. Je plaçais ma main à côté de la sienne. Je
m'approchais de lui. J'appuyais ma tête sur son
épaule. Je frottais mes cheveux sur sa mâchoire aux
muscles tendus. Il bâillait et se retournait du côté
de la fenêtre. Assise dans le lit, les jambes relevées
jusqu'à la hauteur du menton, j'enfonçais la tête

dans mes genoux. Je prenais une mèche de mes cheveux et la passais sur mon nez. J'en avais assez. Je relevais mon visage et fixais les ombres gigantesques qui défilaient sur le mur. Je m'ennuyais à mourir. Il faisait chaud. Ça sentait le macadam jusque dans le lit. Je me laissais tomber sur le côté. Je détendais mes jambes et me glissais dans son dos. Il se tournait vers moi, me regardait en plein visage, y détaillait tous mes traits. Les yeux de mon Vulcain imberbe lançaient des éclairs. Il avait le regard fiévreux, le regard de l'amoureux, les lèvres purpurines. Il s'attardait sur ma bouche. Il frottait le bout de son nez sur mon nez carré, mon nez caustique. Il en mordait le bout.

— Aïe! tu me fais mal.

Il repoussait mes cheveux derrière mes oreilles, les gonflait de la chaleur de son haleine, me retournait sur le dos, s'abattait sur moi, me mordillait la pointe de mes seins, me prenait nonchalamment en plein milieu de mon corps en me dévisageant de son œil marron. Je baissais les paupières, lui cédais mon âme. J'avais l'impression que les bruits de la rue se faisaient plus discrets mais c'était ma respiration qui était plus haletante. Il me pénétrait avec de plus en plus de vigueur. La passion me dévorait. Je m'enivrais de son odeur et me perdais en lui. Puis il s'allongeait sur le côté face à la fenêtre et commençait à roupiller. Je me levais d'un bond, ramassais mes vêtements épars dans la chambre, les fourrais dans ma valise rouge et me précipitais vers le salon bleu pour appeler un taxi. Ne se mettait-il pas à tousser que je m'arrêtais un moment sur le seuil de la porte et décidais de faire demi-tour.

Rue des Commissaires

UN HOMME EST COUCHÉ SUR LE TROTTOIR, recroquevillé dans son pardessus, en plein soleil de midi. Assis à ses côtés, le dos appuyé sur le mur de pierres de la chapelle Notre-Dame-de-Bonsecours, rue des Commissaires, son compagnon, la tête enfouie dans un col d'astrakan, lit un vieux journal détrempé. Un mégot éteint sur sa lippe pendante, il lève les yeux et fixe le Saint-Laurent qui stagne dans sa boue et retient à son quai les paquebots d'outre-atlantique. Sur le toit de la chapelle, dans une tour octogonale, une statue de la Vierge drapée de bleu et escortée de deux angelots radieux aux ailes déployées veille sur les eaux du fleuve. En haut de leurs têtes, de grosses lettres blanches incrustées dans le granit nous invitent à prier Notre-Dame-de-Bonsecours. Je remarque que le vieux mur de pierres grises se continue comme un prolongement de l'église et, dans une sorte de cavité, une toute petite inscription : «Vestiaire des pauvres fondé le 10 août 1905 par Sr Bonneau. »

Radieux, se délectant d'un beigne au miel, et par moment secouant sa longue et touffue barbe

blanche pour en faire tomber les miettes, un patriar-
che se tient en appui sur sa jambe gauche devant une
vieille porte de fer martelé. Il pourrait être poète ou
philosophe. Son regard rayonne de sagesse,
de compassion, de connaissances et se grise du
moment présent.

— Je suis Roger Valois, me dit-il en se netto-
yant les dents du bout de la langue. Je suis né juste
à côté, dans la paroisse Saint-Victor. Je dors tous les
soirs à l'Armée du Salut et chaque jour, je viens
chercher mon repas à l'Accueil Bonneau.

Le vieux sourit et me propose un beigne au
miel :

— Tenez, goûtez-y, ce sont les meilleurs que j'ai
jamais mangés. Vous savez, ma petite, je peux me
permettre de vous appeler ainsi car vous êtes bien
jeune, je trouve que vous avez un air bien triste
quand vous me regardez. Malgré mon apparence,
je suis un homme très heureux et comblé par la vie,
croyez-moi. Vous savez pourquoi ? J'ai de belles
pensées. Le bonheur, c'est ce que vous cherchez,
j'en suis certain. Eh bien ! vous le trouverez un
jour. Mais pas là où vous pensez. Regardez plutôt
à l'intérieur de vous, vous y découvrirez cette petite
flamme en veilleuse, prête à s'allumer à la seule vue
du ciel, des arbres, de la montagne, de la mer, des
êtres semblables à ceux qui vous entourent. Quand
vous aurez découvert ce dont je vous parle, vous
vous souviendrez de moi, Roger Valois.

Je reste ébahie, fascinée par ce personnage haut
en couleur, fort sympathique et qui s'exprime très
correctement. De fil en aiguille, Valois me raconte

sa vie, c'est-à-dire ce qui a fait jaillir en lui la petite lumière.

— J'ai passé ma vie à voyager. J'ai fait la guerre de 39-40 et j'ai libéré nos ancêtres en Normandie. En 45, j'ai travaillé comme *waiter* sur les trains du CPR et mille fois j'ai traversé le pays, d'est en ouest, bravant les tempêtes de neige, les rafales de pluie et de vent. Je suis parti aux Indes en 1955 où j'ai été missionnaire laïque pour les pères franciscains. En 1962, j'étais en Amérique du Sud. Je connais bien le Brésil, le Paraguay, l'Argentine. Je parle couramment l'espagnol et l'hébreu à cause des prêtres de la mission. En 67, je suis revenu à Montréal pour assister aux funérailles de mon père. Maintenant, je rêve d'aller en Chine. Je ne sais pas encore si ce sera possible. C'est du communisme partout là-bas et les catholiques ne sont pas acceptés.

Roger Valois marche devant de la porte de fer martelé. Il se fait muet, regarde le fleuve, lève la tête vers les nuages, asticote sa petite flamme intérieure en se frottant la poitrine et me sourit encore. Le temps semble s'être arrêté et un oiseau de feu traverse le ciel. Les ocres et le rouge du feuillage flamboient sous le soleil de l'été indien. Nous sommes à la fin d'octobre. Un jeune homme en chemise à carreaux rouges s'avance vers nous, passe le bras devant Valois, appuie sur la sonnette du Vestiaire des pauvres. La porte s'entrouvre, une belle main blanche s'étire et tend un petit paquet dans un sac de papier brun tordu. Le jeune homme remercie d'un signe de tête et repart les jambes à son cou. Roger Valois se dirige vers le trottoir. Avant qu'il ne traverse de l'autre côté de la rue, le cuisinier du Vestiaire des pauvres, habillé de blanc, sa toque sous le bras, vient nous rejoindre.

— Comment va votre genou, aujourd'hui, monsieur Valois?

— Ça va, ça va, je l'ai confié à la mère Bonneau.

C'est alors que je prends congé de Roger Valois car le cuisinier m'invite à visiter les locaux du refuge.

— Comme je vous l'ai dit au téléphone, que je précise à l'homme vêtu de blanc, je viens faire un reportage sur l'Accueil Bonneau pour *La Patrie* du dimanche. Le photographe va venir tout à l'heure.

Nous pénétrons d'abord dans une chapelle, où l'on a installé quelques tables, des chaises pliantes et tout au fond de la pièce, dans le noir, une humble statue de la mère Bonneau à côté d'un grand crucifix.

— Tous les dimanches matin à huit heures, il y a la messe, précise le cuisinier qui a remis sa toque. Ensuite, on sert un chocolat chaud à tout le monde. Vous savez qu'au Vestiaire des pauvres, on reçoit jusqu'à trois cents personnes par jour! C'est du monde! Montréal est une ville bien plus misérable que vous le pensez! On offre un deuxième lunch à dix heures trente et un troisième à seize heures. On fait des petits sacs pour chacun, dans lesquels on retrouve des sandwichs, des fruits et des beignes. Celui qui arrive en retard, comme le jeune homme de tout à l'heure, doit sonner à la porte. L'été, ils mangent à l'extérieur, dans la rue des

Commissaires. De novembre à mai, ils s'installent au local. L'hiver, il y a toujours de la soupe chaude que je fais mijoter dans cette grosse soupière de quarante-cinq gallons! Je prépare également des fricassées, des galettes de mélasse, du thé chaud. C'est une grosse organisation, vous savez!

Le cuisinier m'invite à descendre au sous-sol où sont aménagés des garde-manger et des chambres froides. Après un interminable escalier aux marches arrondies tordues par l'humidité, nous pénétrons dans une grande pièce à peine éclairée. Il m'explique que cette même cave a servi d'entrepôt à l'intendant Bigot.

— On construisait solidement à l'époque, me fait-il remarquer. Tous les murs ont un minimum de six pouces d'épaisseur.

Nous passons de salle en salle, jusqu'à ce qu'il déniche une boîte jaunie par le temps en haut d'une armoire et l'ouvre:

— Regardez ces chaussures. Elles ont été portées par un clochard bien malheureux. Les trous de la semelle ont été bouchés avec un vieux gant de cuir et les talons renforcis avec de la broche pour tenir le coup. La sœur Bonneau avait remarqué l'homme qui les portait. Il se promenait dans le port, désespéré, épuisé. Elle l'a invité à venir se restaurer. C'est ainsi que l'Accueil Bonneau a été fondé, en 1905. Ça vous donne une idée jusqu'à quel point les chômeurs peuvent être parfois très mal pris dans la vie. Ceux qui viennent sonner ici sont si affamés que c'est presque inimaginable. Nous sommes leur dernier recours. Chaque année, grâce à des dons de marchands, on organise deux banquets. Le premier c'est le dimanche avant Noël et l'autre le dimanche avant le Nouvel An. Pour bien des gens, c'est le festin de l'année quand ce n'est pas celui de leur vie. Il y a de la tourtière, de la dinde, des cigarettes, du chocolat.

J'écoute le chef me parler encore des pauvres et des mal nourris. En longeant des rangées de petites tables toutes pareilles, je jette un dernier œil à mère Courage sur son socle et renifle l'odeur du pain et de l'humidité. Finalement, je prends congé du cuisinier de l'Accueil Bonneau. À l'extérieur, en plein soleil de midi, Roger Valois, qui a fini de manger ses beignes au miel, déambule sur le trottoir les mains dans les poches, le regard tourné vers le fleuve. Il traîne la patte, remonte la rue Bonneau, passe devant la maison des sœurs Grises, celle du foyer pour vieillards, puis celle des Deux Marguerites pour femmes seules. Comme quelqu'un qui se sent suivi, il se retourne vers moi en agitant la main : «Mère Bonneau vous protège!» Dans son regard, cette fameuse flamme intérieure qu'il m'expédie dans un clin d'œil goguenard.

Rue Crescent

LES CHEVEUX AU VENT, je me faufile à travers les passants. Je fais quelques pas en arrière et je reste là un moment, figée. Je ne sais plus où aller. Je regarde à droite, à gauche, puis remonte la rue Crescent. Je continue de presser le pas, ralentis devant une boutique, change de vitrine, m'étire le cou pour mieux apprécier une robe verte, fais la moue à un chapeau rose, pousse un immense soupir et décide d'ouvrir mon parapluie mauve. Il pleut! Un dimanche de pluie éternel, un dimanche comme tant d'autres. Les dimanches de toute ma vie m'assaillent! Où sont passés ces rares beaux dimanches dont je voudrais me rappeler l'odeur? La pluie diluvienne d'aujourd'hui ressemble à une averse de larmes. Un ciel de ferraille, des visages étriqués, des piétons ventriloques. Partir! Changer de ville! Tenter sa chance ailleurs. Vivre! Il faut vivre sa vie, plutôt il faut rire sa vie, comme dirait Marie dans sa chanson. Chaque jour se remettre en question, chercher la solution à l'énigme de l'existence. La grande roue des saisons, l'été qui s'enflamme du printemps et l'automne qui agonise en hiver, le labyrinthe des jours, le carnaval des années!

Marcher, trottiner, courir à grandes enjambées, se faire éclabousser par un chauffard, finalement déambuler en plein milieu de la rue. La course au bonheur, le délire du bien vivre. Chaque matin, se donner l'illusion de tout recommencer à zéro, comme une nouvelle naissance. «Aujourd'hui est le premier jour du reste de ma vie», disait Camus. Se lever, s'habiller, prendre son courage à deux mains, traverser la rue en courant pour se rendre au boulot. Travailler, s'épuiser, recommencer, se relaxer, prendre un thé. On a passé une bonne journée! Le patron est content, on lui a fait gagner de l'argent, il a le ventre tout rond. Arrive enfin le dimanche, jour de repos bien mérité, on ne sait plus où aller, on ne sait plus quoi faire. On se retrouve seul avec soi-même, avec ses idées. Durant la semaine, on n'avait pas le temps de penser, on était trop fatigué. Mais le dimanche c'est la dure réalité! On ne s'en évade pas comme ça. C'est pour ça que les gens s'ennuient tellement le dimanche. Ils sont face à eux-mêmes, ils n'ont pas pris l'habitude d'être dans leur peau, dans leurs os, dans leurs pensées. Ils se sont toujours fuis. Le tourbillon de la vie!

J'avance comme une mécanique. Je garde le rythme de la pluie. Une mesure à deux temps, droite, gauche, droite, gauche. Marcher, marcher encore rue Sainte-Catherine, rue des boutiques, des flâneurs, des promeneurs en mal d'exister. À la hauteur de la rue Peel, je décide de traverser et de marcher du côté sud. Pourquoi pas ! Il faut bien faire quelque chose. Surtout il faut continuer, un peu de courage, jusqu'au square Phillips. Je regarde le jardin endormi, l'herbe soumise, courbée devant la statue grise d'Édouard VII. Il semble bien triste l'homme de pierre. Son nez coule, il n'y a personne pour le moucher. Je ris de voir ses grandes oreilles qui se remplissent de gouttelettes et servent d'abreuvoirs aux oiseaux. Les iris bleus vont bientôt mourir. Des arbres chétifs, en mal de vivre, tentent de se redresser vers le ciel gris et bas. Je fais le tour du monument anglais, tire un mouchoir de papier de mon sac à main, essuie le banc pour m'asseoir. Je tire une cigarette de mon paquet écrabouillé, l'allume avec mon *Bic* et la consume à petits coups, pour la garder plus longtemps. Je croise la jambe et balance mon pied droit nonchalamment. Jour de cafard ! Jour de désespoir ! Jour où le plus mince filet de vent, où la moindre brise nous déchire les vertèbres, instant où on ose à peine bouger tellement l'angoisse nous paralyse. Un mal qui nous fige comme un glaçon, un iceberg. J'écrase mon mégot avec la pointe de mon soulier, histoire de bouger un peu. La vie ! Qu'est-ce que c'est ? Une suite d'instants où la plupart des petits espoirs vous glissent entre les doigts et vous flanquent là tout seul avec d'autres chimères. Il faut se souvenir des beaux jours ! Absolument ! Les belles heures inventées devant un ciel étoilé, comme une mémoire d'outre-tombe. Penser à être heureux. Cette quête absolue, c'est l'ultime loi de l'existence. Passer sa vie à attendre, à espérer.

Les beaux dimanches du temps passé, les dimanches de son enfance, les jardins aux rosiers fanés, les balançoires de bois. Avoir cinq ans, rouler en tricycle. Avoir six ans, aller à l'école. Les devoirs, les bonnes notes, les mauvaises, les examens ratés, les échecs, quelques éclaircies et enfin les vacances, la mer, les plages à perte de vue, le soleil toute la journée! Parfois une petite brise venant du large! Mais non, on y rêvait, on l'avait lu quelque part, ça existait pour sûr mais, à la place, on passait l'été dans le petit jardin clos de derrière la maison et on jouait encore à l'école, aux examens, aux bonnes notes, aux mauvaises notes avec la dictée de la mère malade. Les inexorables dimanches. Papa travaillait tout le temps pour faire de l'argent. L'ennui m'étranglait. Je collais mon nez contre la vitre de ma chambre à coucher pour regarder tomber l'averse. Les mains enfarinées, s'apprêtant à faire cuire sa tarte aux pommes, maman disait:

— Soyez sages, s'il fait beau dimanche prochain, je vous emmènerai à la campagne, ou encore nous irons faire le tour du lac.

Il pleuvait toujours les dimanches d'été de mon enfance. Celui que ça arrangeait le plus, c'était monsieur le curé pour son sermon. Il jurait que la pluie était une bénédiction du Seigneur pour prévenir les péchés d'indécence au pont d'aluminium et, agenouillés, moutons en rangée, nous remercions la Toute-Puissance pour ses intempéries.

— Pensez-y, pensez-y donc, des dames, des jeunes filles qui exhibent la chair de leur corps dans

des maillots de bain, en pleine nature! Femmes-
instruments de péché!

On a poussé comme de l'ivraie dans l'impureté,
le péché véniel, le péché mortel, les repentirs, la
grâce de Dieu. Les années ont passé, on s'est
accordé quelques rides, beaucoup de désillusion. Le
premier amour rencontré au coin de la rue. Les
soirées passées devant une glace pour essayer de
s'embellir. Les yeux qu'on croit agrandir au rimel,
les privations de dessert pour maigrir. Les premiers
frissons, les derniers vertiges, les bas de nylon qui
filent, les talons hauts, le bâton de *Rouge Baiser*, la
première cigarette, le premier whisky, le premier
chagrin d'amour. Le deuxième, le troisième. On
s'en sort toujours. Les études que l'on abandonne
trop tôt. Le premier emploi, le second, les revenus
augmentent. La belle indépendance. Les appartements avec piscine, sauna, *sundeck*, vivre dans une
tour de verre avec vue sur toute la ville. La grande
aventure! Les amis, les *partys*, les fins de *party*,
enfin l'homme de sa vie, les bonheurs pour l'éternité. On devient terriblement bourgeois, on suit les
changements de saisons, on renouvelle sa garde-
robe en rose et en marron. La perte d'un être cher.
Mourir d'amour. Les premiers contacts avec l'art.
Les vrais intellectuels, ceux qu'on appelle les artistes, avec qui on s'allie pour un monde meilleur. Un
mal d'être que l'on traîne comme une peau de chagrin dans les cocktails, les premières, les boîtes de
jazz. Les vacances que l'on va enfin passer à la mer.
La vraie mer avec la musique de ses vagues, de ses
embruns charriés au large. Les pays exotiques dont

on a toujours rêvé. Son premier voyage au Mexique, au Yucatan. Les grands départs pour l'Europe. Connaître ses racines. L'adieu à son pays, à ses amis. Les aéroports du bout du monde. Rien de plus qu'une autre façon de vivre. Parfois d'autres idées, d'autres mœurs, un peuple plus riche ou plus pauvre, mais souvent plus de raffinement et de connaissances. Quand même toujours des êtres qui aspirent au bonheur. De nouveaux amis. La maladie. Une nouvelle orientation. Un homme sensible et intelligent rencontré dans une librairie. Des voisins brûlés vifs dans leur appartement. Les voitures sport, le whisky, les fins de *party*. Le printemps qui engendre l'été, puis l'automne qui meurt en hiver. Ah! les sottes années qui vont à vau-l'eau! On vieillit, les rides se fixent pour toujours. Si on avait raté sa vie? Il faut s'arrêter un moment, faire un bilan, tout rayer et tout recommencer.

Je me lève d'un bond, ouvre mon parapluie mauve et décide de retourner marcher rue Sainte-Catherine. Le mieux serait sans doute d'aller m'asseoir pour le reste de la journée dans un bar de la rue Crescent. Je vais sûrement rencontrer des amis, discuter avec eux. Il y aura Key le mannequin qui a grossi, Philippe le journaliste qui boit sans arrêt, Julie qui veut faire du cinéma, Pablo qui n'arrive pas à vendre ses tableaux, Mercedes qui vient de perdre sa mère. Il y aura sans doute Guy, le séparatiste membre du FLQ qui a fait exploser une bombe le mois dernier. Guy, le seul d'entre nous qui croit à un monde meilleur. Guy le dernier arrivé dans notre groupe. C'est Philippe qui l'a introduit dans notre cercle. Guy, l'homme en liberté provisoire. Guy qui est en attente de son procès et vit chaque jour, chaque minute en pensant qu'il n'est déjà plus un homme libre. Guy qui est sans doute passible de prison à vie pour un crime politique! Guy qui, je pense, ferait sans doute mieux de se suicider. Guy qui, je le sais, pense sans cesse à la mort! Guy le maigre qui tente de noyer son chagrin dans l'alcool et crie à tue-tête au garçon de café:

— Une canadienne avec un whisky sec!

Guy qui écrit des lettres au ministre de la Justice lui demandant grâce. Guy le timide qui drague toutes les filles sans succès. Guy l'étrange ami qu'on a tout de suite aimé, avec ses yeux de chien battu et ses cheveux ébouriffés. Guy l'exalté qui nous parle de son avocat comme d'un sauveur!

— Selon lui, on m'en donnera pour trois ans au maximum. Il me conseille de plaider non coupable. Je ne dirai pas un traître mot durant toutes les assises, c'est lui qui va parler à ma place, il a l'habitude des tribunaux! Toute la bande va me soutenir, elle me l'a promis. C'est moi malheureusement qui vais écoper de tout, même si je ne suis pas seul dans l'affaire. Bien sûr, c'est moi qui ai eu l'audace, mais il y avait les autres en coulisses. Qu'ils ne craignent rien, je ne les dénoncerai pas. J'ai trop d'honneur! Les copains ont promis de venir me voir en prison, ils l'ont juré, craché, ils vont me tenir au courant de tout ce qui se passe dans le réseau. Je ne regrette rien! On va les réveiller les ministres, le Gouvernement, la corruption! Les Canadiens français, on s'est toujours laissé tondre la laine sur le dos! C'est fini ce temps-là. Moi et toute ma génération, on va faire la révolution! Si dans cent ans, on parle encore français au Québec, on pourra dire que c'est grâce à un gars comme moi, Guy du FLQ!

Oh! Guy l'exalté qui parle déjà de ses prochaines permissions.

— Mon avocat me promet quelques jours de sortie à la fin de chaque mois. J'en profiterai pour aller au théâtre, au cinéma. Pas peur va, je ne pourrirai pas au fond d'une cellule comme un rat! Tout finit par s'arranger. Dans trois ans au plus tard, je pourrai continuer mes études en économie, j'irai me spécialiser aux États-Unis.

Guy qui parle trop fort avec sa voix de rogomme, qui rit à pleines dents et qui devient premier ministre séparatiste du Québec! Guy le petit qui fume trop. Guy le nerveux qui éteint cigarette sur cigarette. Guy qui tend les muscles de son cou comme des cordes, qui serre les poings et promène un regard circulaire dans la dense fumée du bar.

— Eh bien! les amis, on trinque à ma santé? C'est peut-être la dernière fois que vous me voyez prendre un coup dans les bars de Montréal! Vous êtes peut-être mes derniers amis! Des démons intérieurs viennent me hanter la nuit, ils me prédisent que ma vie est finie!

Guy le désossé qui pense aux siens.

— Ma mère va en mourir. Déjà mon frère est décédé dans un accident de voiture il y a deux ans. Il avait vingt-sept ans comme moi. Mais moi, je ne veux pas mourir. Je ne connais rien de l'existence. Tout ce que je voulais, c'était donner un avenir au Québec. Je vais plutôt demander l'asile politique dans un autre pays. Dans le monde entier, je suis fiché comme *persona non grata*. Un sauf-conduit pour Cuba? Pourquoi pas! Castro connaît ça, la révolution, il va sûrement m'accueillir. Je veux vivre au pays de Che Guevara. J'ai envie de partir, de tout recommencer, de me sentir libre! Je me sens surveillé jour et nuit. Partout ils ont ma photo, mes empreintes. On me considère comme terroriste! Je vois mal comment je pourrais sortir du Québec! Mais regardez-moi, regardez-moi bien, je suis un héros! Mort pour le Québec libre!

Guy le malheureux qui crie très fort au garçon de café:

— Camarade, un triple whisky! Je veux oublier ma chienne de vie! Dis, si tu me revois dans cinq ans, tu vas te rappeler de moi, tu vas savoir que j'ai été en tôle pour que tu continues à parler français dans ta Belle Province.

Guy le révolutionnaire, le *che* québécois, l'étrange ami que l'on a tout de suite aimé.

Il pleut! Une pluie tenace comme les clous que l'on enfonce dans un cercueil. Comme par hasard, je pose les deux pieds dans une flaque d'eau. Mes chevilles sont enflées. Je marche comme un Malbrough s'en va en guerre. Je passe encore devant chez *Ogilvy's* sans regarder la vitrine à la robe verte, au chapeau rose. Je remonte pour la seconde fois la rue Crescent. Je décide d'entrer au *Sir Winston Churchill*, plus communément appelé

« Le Pub ». C'est ici que mes amis viennent tous les jours prendre l'apéro, même le dimanche. Ils commencent à arriver vers dix-sept ou dix-huit heures. La plupart d'entre eux restent pour la *jazz session* dans la soirée.

Je tire la grande porte noire du sous-sol. Il n'y a personne dans le bar, à part bien sûr Gilles le barman qui lave ses verres, l'affreux chien Hector du patron, toujours couché, un couple d'amoureux qui semble être là depuis la veille, appuyé sur le *juke-box*, Leonard Cohen qui enfile son imper, monte l'escalier, les mains dans les poches, le visage tourmenté, comme s'il avait une peine d'amour. *Oh Suzan*! Je distingue au fond de la salle le piano noir recouvert d'un tapis rouge, Barbara la serveuse en minijupe qui se maquille devant la glace, des verres sales sur le comptoir, des cendriers pleins, des pistes de 421, quelques rangées de bouteilles de bière vides sorties de leur caisse.

Je commande un cognac plutôt qu'une bière, ce qui me vaut la considération de Gilles qui m'assure avec un large sourire que personne n'est encore venu.

— Il pleut très fort, ça n'incite pas les gens à sortir.

Je suis la seule cliente assise au bar, sur un petit banc, le dos arrondi, et je trouve laide l'image que me renvoie le miroir derrière les bouteilles de spiritueux. J'allume une cigarette, l'écrase aussitôt. Je me frictionne les pieds, ils sont gelés, enflés. Je passe la main sur mon front, mon cou. Je me sens fatiguée. Je laisse passer le temps. J'attends. J'attends quoi? Vider toute une bouteille de cognac pour ne plus penser. Ne plus attendre. Rien. Jamais. Il est dix-huit heures quarante et toujours personne dans le pub. Ce maudit temps qui nous rappelle à la réalité. On passe notre temps à attendre quelqu'un, quelque chose de mieux. Les heures, les jours, les années, l'amour, le bonheur. Ça n'existe pas vraiment. Le bonheur, ce sont les couleurs de l'arc-en-ciel après un dimanche de pluie. Je pense à Michel. Je l'aime peut-être. Je ne veux pas me laisser gruger par l'amour, lui abandonner ma liberté. Ai-je trop peur ou est-ce par lâcheté? J'ai pris les devants avant qu'il ait ma peau. Et l'impuissance, cette vanité destructrice. Quand je l'aimais trop, je ne pouvais l'étreindre. J'étais bouleversée par son sourire et ne pouvais le regarder. Lui à qui, à un certain moment donné, je tenais le plus au monde et qui me donnait tellement de joie. Vivre avec quelqu'un, c'est souvent vivre pour deux et ça m'embête profondément. Il y a des jours où j'ai assez de vivre avec moi-même, sans m'encombrer de la mauvaise humeur, du manque d'appétit, des insomnies de l'autre. Aimer, c'est souvent ne rien donner et ne rien prendre. C'est vivre chacun pour soi, ne pas blesser. Ceux qui acceptent de se donner corps et âme dans un bonheur partagé sont tellement rares! C'est épuisant le don! Pourtant, lui, je l'aimais, mais j'étais torturée par une sorte de mal intérieur et en quelques minutes je pouvais tout nier. Je trouvais trop souvent que nous ne pouvions communiquer que par rapport à quelque chose, à quelqu'un, à Guy par exemple pour qui Michel avait une profonde admiration. Quand nous étions en compagnie de Guy, les mêmes ondes de compassion, de fierté d'être québécois nous pénétraient au même instant. Nous restions là béats, à nous regarder les yeux dans les yeux, et nous savions que nous étions heureux d'être de la même trempe, solidaires l'un de l'autre. Il ne fallait surtout pas parler, rien gâcher. Un silence heureux !

Je crois que j'aime encore Michel. Il parle toujours de la minute présente et j'aime qu'il me dise qu'il faut profiter de tout, même de ses angoisses. J'ai besoin de lui ce soir, de lui parler, de le toucher.

Comme je m'apprête à me diriger vers l'entrée pour lui passer un coup de fil, Guy entre.

— Salut ! Je suis content de te voir. J'ai envie de te parler, qu'il me dit en m'embrassant sur les deux joues. Viens t'asseoir avec moi. Mon procès va sans doute s'ouvrir mercredi prochain. Mon avocat vient de me téléphoner. Il m'a dit que j'étais presque libre car on me considère seulement comme un témoin dans l'affaire. Je ne comprends pas bien, puisque d'un autre côté, il me demande de rester calme, car on vient me chercher demain matin. Il m'a recommandé aussi de ne pas m'éloigner. Ma remise en liberté serait une affaire de quelque temps. Il me répète tout le temps de ne pas avoir peur, qu'il me fera avoir une grande cellule, que j'aurai tout ce que je voudrai, même des somnifères. Il m'a dit surtout de ne pas paniquer. C'est plus fort que moi, j'ai peur. C'est comme si j'avais l'intuition que ça va mal tourner. Mes rêves en témoignent, ils sont de véritables cauchemars dans lesquels je suis traqué comme une bête. Ça fait presqu'une semaine que je n'ai pas fermé l'œil. Excuse-moi si je semble confus, je ne sais plus très bien où j'en suis. Je tremble. J'ai peur pour ma vie !

— Guy, tu me bouleverses avec tout ce que tu me racontes ! Je comprends ton angoisse. Je t'offre un verre, camarade ! Santé !

Je regarde Guy le presque-laid avec ses yeux rouges et bouffis. Il s'est tu, avale une rasade de whisky, les yeux baissés. Il gratte de ses ongles l'érable rouge du comptoir et commande un paquet de *Disque Bleue*. Assise à ses côtés, je demeure muette. Ne sachant plus quoi dire pour le réconforter, je m'amuse distraitement avec les dés et lui propose une partie de Yum ou de 421. Il fait signe que non de la tête. Je jette un regard sur l'affreux chien du patron qui s'est réveillé et se promène avec nonchalance dans le bar pour finalement aller se coucher aux pieds de Gilles qui continue de laver ses verres.

— Guy, je ne sais pas parler aujourd'hui, je suis enfermée dans un mutisme terrible. Je me suis levée ce matin très cafardeuse. Je te donne mon appui moral et t'assure de mon meilleur souvenir. J'espère que tout va s'arranger pour toi.

— Merci ! Merci ! Parle-moi de toi. Comment ça va avec Michel ?

— Des hauts et des bas. Quand je suis avec lui, je voudrais ne jamais l'avoir rencontré. Quand il n'est pas là, je m'ennuie de lui, comme en ce moment par exemple. Il était parti dans le nord pour la fin de semaine. Je me proposais justement d'aller lui passer un coup de fil. Il serait très heureux de bavarder avec toi. Guy, je suis désolée de devoir te quitter. J'ai envie d'aller sonner chez lui. Il est sûrement rentré à cette heure-ci. Ne t'en fais pas, d'autres vont venir te tenir compagnie, te réconforter mieux que moi.

— Je comprends. Bonne chance !

— À toi aussi, la baraka !

Je croise les doigts comme pour le mot de Cambronne. Je reprends mon sac à main, saute en bas du banc, sors du pub en courant. Dans la rue, j'ouvre mon parapluie mauve. Taxi ! Taxi ! Rue Stanley ! La maudite pluie qui se mêle au vent. Le soir qui meurt, partout les néons qui s'allument. Des feux verts, des feux rouges, les rues désertes, les trottoirs pleins de nids de poules. J'ai hâte de te revoir. J'ai plusieurs choses à te raconter. Tu m'as manqué.

— Voilà, mademoiselle. Stanley et avenue des Pins.

— Merci ! Combien ?

Je m'arrête un moment devant la porte de verre de l'immeuble. J'ouvre. La porte est déverrouillée, c'est étrange. Je monte, un, deux, trois escaliers. Je tangue. Je m'appuie sur la rampe. Je sonne à ta porte. Je sais que tu es là. Je n'ai pas cessé de penser à toi de toute la journée. J'ai marché tout l'après-midi dans des flaques d'eau. J'ai les pieds complètement mouillés. J'ai peur d'attraper un rhume. Vite, vite, ouvre-moi ! J'ai besoin de tes bras, d'un café-cognac. Je sonne encore. Je n'ai plus la clé, je l'ai foutue en l'air dans un moment de colère. Notre si douillet appartement! Les murs blancs, la moquette grise, les poutres au plafond, le canapé de velours ocre, la cheminée en cuivre, la grande baignoire dans la chambre à coucher, des géraniums rouges dans toutes les fenêtres. Ouvre! Je t'en prie! Tu ne veux quand même pas que je sonne encore une fois? Toi avec ton complet de flanelle grise, ta chemise bleue, ta cravate à pois marine, ton odeur de lavande, toi que je redécouvre chaque fois. Et puis Chopin, sa *Fantaisie* en mineur, sa *Ballade* en majeur sur ton stéréo, interprétées par celui que tu appelles le poète du piano, Vlado Perlemuter. Je l'entends déjà. Oh! comme c'est beau! Divinement beau! La sonnette est sûrement brisée. Je frappe à coups de poing dans la porte. Toujours pas de réponse. À bout de nerfs, je prends ma chaussure et la lance contre la porte:

— Ouvre-moi!

Je ne comprends pas comment il se fait que tu ne sois pas là. C'est dimanche. Tu travailles demain matin. Je vais m'asseoir dans l'escalier. Je vais attendre ton retour. Je pleure, je suis angoissée, j'ai peur. J'ai du mal à dormir, tu me manques. Garde-moi dans tes bras pour la nuit. Tu n'as encore rien changé dans notre chambre j'espère! Je reconnais bien la petite aquarelle orange juste à côté de la porte. Oh! mes boucles d'oreilles sur la commode, je les ai tellement cherchées. La fenêtre de la chambre est mal fermée. J'ai des frissons. Donne-moi la main. Notre nuit sera belle et chaude!

Je sursaute. Je passe la main sur mon visage, me frotte les yeux. Je suis accroupie dans les marches d'escalier, je t'attends bêtement. Il doit être tard. Tu ne rentreras pas ce soir? Je suis mieux de partir! Je vais marcher jusqu'à la rue Crescent. Je vais retourner au *Sir Winston Churchill Pub*. Je vais tenir compagnie à Guy et je te téléphonerai plus tard.

Je descends dans la rue. On dirait que la pluie a cessé pour de bon. La nuit est étrangement noire, opaque et sans étoile. Avant de pousser la grande porte noire du pub, je remarque quelques beatniks assis à la terrasse, grelottants. Sur la petite estrade, un chanteur noir, plié en deux, avec dans sa main un micro en chrome rutilant. Un pianiste noir, à la tête penchée sur le piano noir, secoue sa tignasse dans toutes les directions pour mieux suivre le rythme. Je fais le tour des tables, tentant de reconnaître quelqu'un. Il n'y a que des anglophones. Je reconnais le peintre Pablo qui, la tête renversée sur la table à côté de son verre de bière vide, est déjà ivre mort. Je décide de m'installer à la première table près de l'entrée. Les haut-parleurs sont loin et puis c'est tout près du téléphone. Je vais commander directement au bar. Gilles me dit qu'il va me faire servir à ma table par Barbara. Je lui demande où est passé Guy.

— Les flics sont venus le chercher il y a à peine dix minutes.

— Quoi? C'est terrible! Je ne comprends pas comment ils ont pu le retracer jusqu'ici.

— C'était dégueulasse à voir. Le pauvre Guy, je te jure qu'il s'est débattu. Ça a été une question de minutes. Ils lui ont passé les menottes et l'ont lancé par terre. Ils l'ont ligoté comme un jeune veau qu'on amène à l'abattoir. Il leur a crié toutes les injures possibles : « Vous êtes des chiens ! des écœurants ! Vous n'avez pas le droit ! Vous allez me le payer ! Laissez-moi téléphoner à mon avocat ! » Un policier lui a foutu son poing sur la gueule. Le sang coulait partout sur ses vêtements. Je viens juste de finir de laver. Je suis encore tout bouleversé. Philippe le journaliste s'est dépêché de déguerpir quand il a vu arriver les flics. J'ai comme l'impression qu'il a été vendu par quelqu'un, peut-être un gars de la bande. Ce n'est pas toi, j'espère ? Tu as été absente un bon moment.

— Tu es fou d'avoir pensé une chose pareille ! Guy était mon ami. J'étais allée chez Michel. J'espérais le ramener pour qu'il parle à Guy. Avoir su ce qui se passerait, je serais restée avec lui jusqu'à la dernière minute. C'est trop bête. Ça me fout le cafard. Ça me fait pleurer !

Je retourne m'asseoir seule à ma table. Je pense à Guy, à la vie, au jazz, à la prison, à l'heure, au téléphone, à Michel. Gilles me lance un cigare de son bar.

— Tiens ! je sais que tu aimes ça, c'est un cigare pour femme. C'est un client qui me l'a offert ce soir. Moi, je ne fume que les gros.

— Merci ! Tu n'aurais pas vu Michel par hasard ? Tu sais, le gars qui était toujours avec moi.

— Non, je ne l'ai pas vu. La dernière fois, il était assis au bout du bar avec toi et Guy !

Gilles continue de laver ses verres. Barbara s'engueule avec le patron. Le chien s'est endormi près de la porte. Je suis la seule cliente. Je ne pense plus qu'à Guy dans sa prison. J'irai le voir à Saint-Vincent-de-Paul.

Le gros patron me tire par la manche et je sursaute.

— Mademoiselle, il faut partir. Nous sommes fermés. Il est onze heures! C'est dimanche aujourd'hui!

Rue de la Montagne

JACK O'BRIEN VENAIT SOUVENT au bistrot. Il était irlandais et myope. Chaussé de vieilles godasses, il balançait infatigablement le pied droit. Il mesurait deux mètres et disait volontiers à qui voulait l'entendre qu'il était voleur. Il avait toujours un tas de fric dans la poche intérieure de son veston et offrait des bières à presque tous les clients. Sa chevelure sel et poivre embroussaillée lui tombait en bas des oreilles. Il portait des lunettes de soleil rondes et graisseuses sur la petite bosse de son pif et les relevait fréquemment du revers de la main, comme un tic nerveux. Quand il bégayait l'anglais, le français ou l'espagnol, car il ne parlait pas, il émettait une série de sons dont nous devions deviner le sens. Quand il était seul à sa table, il lisait un roman policier ou un roman d'un grand auteur anglais, car il méprisait par-dessus tout les Américains. J'étais curieuse de lui. J'allais souvent m'asseoir à ses cotés et il me faisait des confidences. Il disait que sa femme était comédienne à Dublin, qu'il était né au Texas alors que son père faisait partie du corps diplomatique. Il avait passé son enfance dans un sanatorium, et pour passer le temps, il s'était mis à écrire. Il avait vendu sa première pièce de théâtre à la BBC à l'âge de dix-huit ans, avait été journaliste en Espagne, s'était intéressé à la grève des mineurs à Madrid. S'étant fait enlever sa carte de journaliste, il était parti pour Johannesburg. Après quelques petites magouilles, il était revenu à Madrid, était tombé amoureux d'une Espagnole, lui avait fait un enfant, avait été accusé de fraude et avait fait deux mois de prison. Il disait encore qu'il avait besoin de liberté et que le journalisme commençait à l'écœurer royalement.

— Il y a trois façons d'exercer le métier de journaliste, me disait-il. *Primo*, être crapule. *Secundo*, produire des papiers insignifiants. *Tertio*, travailler énormément car c'est un métier qui requiert tout ton temps. Voilà pourquoi ça ne m'intéresse plus. J'ai beaucoup de difficulté à me concentrer maintenant, je bois beaucoup trop, je vieillis et j'ai de plus en plus besoin d'argent. C'est le fric qui m'intéresse. J'ai deux familles à faire vivre. Une femme à Dublin avec deux petites filles et une autre à Madrid avec un petit garçon. Je préfère voler. C'est beaucoup plus payant que de travailler et moins fatigant. Surtout c'est un vrai *challenge*. Chaque fois, il y a tout le scénario à élaborer. C'est un défi de réussir un coup !

Jack racontait si volontiers à tout le monde qu'il était voleur que personne ne le croyait. Moi, il m'avait convaincue. Quand je le rencontrais au bistrot, il arrivait toujours de quelque part et repartait toujours pour ailleurs. Chicago, Mexico, Acapulco, il changeait sans cesse d'appartement ou d'hôtel et traînait sur lui des liasses de billets de banque et une petite valise brune en peau de crocodile avec un nécessaire de toilette et quelques papiers importants. Il me disait qu'il se foutait de ses avoirs, et dès qu'il se sentait filé, il laissait ses effets personnels dans la chambre qu'il occupait pour brouiller les pistes. Les policiers pensaient toujours qu'il allait revenir chercher ses effets personnels, ce qui lui donnait le temps de disparaître dans un autre quartier de la ville et de prendre un look différent. Je lui trouvais pourtant toujours la même allure. Il avait un penchant pour les vestons de tweed brun et les pantalons de gabardine beige. Parfois, il portait un chapeau de feutre brun à larges rebords, *gentleman* cambrioleur!

Je l'écoutais le plus attentivement du monde me raconter qu'il avait loué un bureau dans le centre-ville. Il faisait vendre par ses courtiers, un peu partout sur la côte ouest canadienne et américaine, des actions cotées en bourse pour des clairières dans la banlieue de Montréal, qui bien sûr n'existaient pas. Il m'assurait qu'il devait rentrer en Europe dans quelque temps avec un minimum de deux cents mille dollars en poche et qu'on ne pourrait jamais le retracer ni à Dublin ni à Madrid. Je le trouvais bien sympathique ce Jack. Au bistrot, je ne lui connaissais que des amis. Tout le monde venait lui serrer la main quand il entrait.

— Venez, mes amis, je vous offre à boire. *How are you today?*

Dans ce capharnaüm humain, pour grands
buveurs de bière attardés qu'était ce bistrot de la
rue de la Montagne, je regardais autour de moi les
couleurs grise, brune, marine des costumes des
hommes et leurs cravates aussi ternes qu'eux-
mêmes. Je scrutais leurs visages. Leurs regards souvent lointains me captivaient. Je n'étais pas intéres-
sée à mieux les connaître, je les aimais dans leurs
mystères. Souvent, je préférais inventer leur vie,
leur prêter des actions qu'ils n'accompliraient
jamais. Tout était si terne, des tuiles du parquet
jusqu'aux murs. Les chaises étaient dévernies, bran-
lantes, la lumière du jour inexistante. Le sous-sol
sentait la moisissure. Pourtant, il y régnait une
atmosphère de franche camaraderie, de rires parta-
gés, de confidences qu'on savait comme protégées
par l'exiguïté et la modestie des lieux. Il y a des
endroits comme ça qui sont très populaires, toujours bondés de monde, bien qu'ils soient très
moches d'apparence. Il faut dire que les caves
avaient une grande popularité à l'époque. Une
extraordinaire solidarité humaine émanait de cet
enclos où les buveurs étaient presque assis les uns
sur les autres, trinquant coude à coude. Durant des
heures et des heures, je pouvais rester assise dans
cet endroit enfumé, l'air désabusé, sans presque
pouvoir bouger, à faire semblant de discuter du
sens de la vie, parce qu'on pouvait à peine s'entendre parler tellement le bruit était dense. Le bistrot,
c'était le café démocrate de Montréal. D'autres
disaient que c'était le café communiste, le café
d'extrême gauche. L'après-midi, quand il n'y avait

pas trop de monde, on arrivait à discuter poésie, guerre au Viêt-nam, biculturalisme, bilinguisme, séparatisme, cocktail Molotov. Je connaissais à peu près tout le monde, les étrangers, les intellectuels, les vrais et les faux, les chômeurs qui grattaient le fond de leur poche afin d'en retirer quarante-cinq cents pour payer leur bière, ceux qui faisaient cercle autour de Jack O'Brien pour se faire payer un coup.

Je me souviens de Vittorio, courtaud, replet dans sa souquenille blanche flottante, ses affiches roulées sous le bras, accompagné de sa muse, brune, les cheveux dansant sur ses épaules, toujours jeune et jolie. Il venait à l'heure de l'apéro, la tête haute, tonitruant, jouant la grande vedette. Il était fier de sa dernière affiche, *Le Nouveau Québec*. Il la montrait à toute la salle qui applaudissait le portrait d'un curé qui avait la tête tranchée au-dessus du col romain. Vive le Québec libre !

Que dire des garçons de table qui avaient les plus grosses moustaches en ville ! Mon préféré, c'était le grand roux, celui qu'on surnommait Dany Kaye et qui, dès les premières lueurs de l'automne, vendait des marrons chauds dans l'entrée du bistrot. Il était venu à Montréal pour oublier sa grande rousse, qui lui ressemblait comme une sœur, à son dire. Après cinq ans de chagrin d'amour, il racontait encore son histoire les larmes aux yeux :

— J'étais plombier à Paris et un soir de juillet, je m'étais mis sur mon trente et un pour aller au bal. J'avais un pressentiment qu'il allait m'arriver quelque chose de bien. Quand je l'ai vue, j'ai été attiré vers elle comme un aimant. On s'est tout de suite plu. On a pris un appartement. C'était le bonheur parfait. Nous étions toujours du même avis. Nous aimions les mêmes choses. Tous les samedis, en souvenir de notre rencontre, nous retournions au bal danser la java. On n'avait pas besoin de se parler tellement on était bien ensemble. On se comprenait seulement à se regarder. Un beau jour, des copains à moi lui ont raconté un tas de conneries à mon sujet. Les plombiers à Paris ont mauvaise réputation. C'étaient des méchancetés, des trucs inventés de toutes pièces. Ils étaient jaloux de notre bonheur. La môme, elle ne savait pas, elle a tout pris au sérieux, elle est partie, elle m'a plaqué. Je l'ai cherchée partout. Je ne l'ai jamais revue. J'ai décidé à mon tour de partir avant de devenir dingue. Je ne pouvais plus vivre à Paris. Je suis venu à Montréal travailler avec mon frère qui s'était ouvert un garage dans le nord de la ville. Finalement j'ai trouvé un travail au bistrot comme vendeur de marrons. J'aime ça, je vois un tas de gens, je me promène entre les tables avec mes cornets de papier journal tout fumants. Je parle, je baratine, mais je pense sans cesse à elle quand je fais chauffer mes châtaignes dans l'entrée.

Son jour de congé, le grand roux venait s'installer au bistrot comme client. Dès qu'il commençait à être un peu grisé, il torturait une *Disque Bleue* entre son pouce et son index et recommençait sa rengaine :

— J'aimerais ça me trouver une autre fille à Montréal. Je l'aimerais, je lui donnerais tout ce qu'elle veut. Il y a des semaines où je me fais pas mal de pognon!

Les groupes se renouvelaient au bistrot à peu près tous les trois mois. Il faut croire qu'ils en avaient assez du décor crasseux et décidaient d'aller s'installer ailleurs. Mais au bout de six mois ils revenaient immanquablement comme on rentre au bercail. Il y avait par contre ceux qui étaient là en permanance, des pensionnaires qui ne pouvaient pas passer une seule journée sans pointer au moins le bout du nez. Il y avait aussi les curieux, ceux qui venaient s'asseoir aux tables le long du mur et qui se poussaient du coude aussitôt qu'ils voyaient arriver un spécimen rare. Les Allemands prenaient deux tables près des toilettes et commandaient deux bouteilles de rouge. Le plus blond d'entre eux jouait de l'harmonica et les autres chantaient des chansons à boire tout en frappant dans leurs mains. J'étais très attirée par le plus grand qui était d'une rare beauté. Nous nous étions parlé sans nous comprendre. J'avais admiré son teint bronzé, l'azur de ses yeux et son admirable nonchalance. Nous avions levé nos verres à notre santé respective.

Par intervalles, je rencontrais Don. Régulier du bistrot, il y entrait à l'ouverture et était un des derniers clients à quitter les lieux. Don le canard. Don le fou, l'ivrogne, le cadavre ambulant, qui avait toujours une petite voiture *matchbox* dans sa poche et s'amusait à la faire rouler sur le marbre de la table. Don qui passait le clair de son temps entre le bistrot et l'hôpital psychiatrique. Il allait y retrouver sa mère qui était devenue folle après sa naissance et qui vivait enfermée depuis ce temps-là, sans permission de sortie. Son père l'avait élevé seul et ne lui avait jamais pardonné d'avoir rendu sa mère malade. Comme s'il pouvait être coupable, le pauvre Don! Il avait quinze ans à la mort de son père. Ses deux tantes de Westmount, vieilles filles et argentées, l'avaient recueilli. Elles avaient réussi à lui faire faire, malgré les circonstances, de bonnes études. Pour le récompenser et ajouter à sa formation, les vieilles femmes l'avaient fait voyager au Japon, en Chine, en Afrique, en Amérique du Sud, puis l'avaient fait revenir à Montréal. Comme il n'avait jamais pu se trouver de travail, il buvait, beaucoup, toute la journée. Il divaguait. Il tentait d'écrire un recueil de poésie. Il avait beau se dire cousin de Byron, il en était toujours à la première page. Il ne voulait jamais rien manger, à part les marrons chauds de Dany Kaye. Ça le sortait de sa torpeur, si on peut dire. Alors, il citait à tort et à travers des phrases de quelque poète anglais. Il parlait des philosophes allemands et avouait qu'il ne se rappelait plus. Il faisait rouler encore une fois sa petite *matchbox* sur le comptoir et le grand roux la lui remettait dans la poche, en lui disant que le bistrot n'était pas un terrain de jeu pour les enfants. Vexé, Don repartait s'asseoir à une autre table. Il disait que chez ses tantes, il avait tout un terrain de stationnement à lui tout seul dans la salle de séjour avec plusieurs boîtes de voitures miniatures. Quand il était assis à côté de moi, je regardais sa tête bouleversante de jeune fou, sa gueule à la Antonin Artaud. J'aimais son visage osseux, ses yeux d'un noir de mélasse qui pétillaient dans leur orbite profonde, dans l'insondable mystère de sa démence. Je riais de voir sa barbe mal rasée plus longue d'un côté que de l'autre. Il sortait de son mutisme, se rengorgeait et, dans un immense sourire, se décidait à parler français pour me faire plaisir.

— La guerre est finie ! « Attends-moi ti-gars tu vas tomber si je suis pas là ! » Je suis pas intéressé dans la guerre. Je suis pas Belgique, je suis Canada. Je suis pas pressé dans la vie.

Et il riait, s'esclaffait, se tordait de rire, sans aucune approbation. Je regardais ses belles dents, son regard dilaté, son infinie tristesse.

Et la vendeuse de fleurs ! La belle de Cadix comme on l'appelait, alors qu'on aurait dû dire la belle des Baléares. Une longue chevelure noire dansait sur ses reins. Elle laissait ses roses se faner dans le panier de paille ouvert comme une corne d'abondance qu'elle portait fièrement en bandoulière. Elle marchait, comme un elfe, souvent pieds nus, rue de la Montagne ou ailleurs, et sa longue jupe ondulait à la façon d'une danseuse de flamenco. Elle arrivait tout juste d'Ibiza. Elle avait flanqué là Salvador Dali dans sa trop belle maison dont chaque pièce avait la forme d'un œuf. Elle avait retrouvé sa liberté. Elle avait délaissé une île de la Méditerranée pour une île du Saint-Laurent. Elle s'était lassée d'un vent chaud et nonchalant et avait préféré un vent plus froid, plus arrogant, plus sauvage. Elle posait nue aux Beaux-Arts pour arrondir ses fins de mois et le soir elle vendait des fleurs et aussi son cœur. C'était la plus belle fille en ville ! J'avais parlé d'elle, de sa vie de grande voyageuse à travers le monde, dans un article qui avait été publié dans *Le Petit Journal*.

Un soir, l'aristocrate Roger, célèbre joaillier de la rue Sherbrooke, réputé tombeur de femmes, était entré au bistrot et, parcourant du regard la salle, il avait aperçu la belle d'Ibiza. Il lui avait acheté toutes ses fleurs et même son panier de paille tout usé et l'avait emmenée dans sa jaguar décapotable.

À l'heure de l'apéro spécialement, j'aimais venir chez «Loulou les bacchantes», le joli nom sophistiqué du bistrot et aussi le surnom du sympathique patron à grosses moustaches. Je m'installais devant une bière, debout, appuyée sur le comptoir de zinc, pour jouer quelques parties de 421 sur une piste de tapis vert. Lebon! Rampot! que je criais avec les autres joueurs. Je gagnais très souvent, pas grand-chose, une bière, mais dans ma tête, j'emmagasinais des tas de personnages pour d'éventuels romans. J'avais la conviction qu'un jour je pourrais raconter l'âme et l'odeur de Montréal. En attendant mes copains du bistrot, qui pour la plupart disparaissaient tour à tour dans la brume des temps, tel Jack O'Brien, je lisais, sourire aux lèvres, les inscriptions sur les murs: «Ne faites pas de l'œil à la patronne car ici la patronne ne donne rien à l'œil.» «Un ami un jour m'a dit: "Fais-moi crédit". Depuis, il est devenu mon ennemi.»

Apéro terminé, il faut que je parte car il est déjà dix-neuf heures! Le spectacle commence à vingt heures trente et j'ai à peine le temps de me rendre au théâtre, de me costumer, de me maquiller. Ce soir, je joue Vasilissa dans *Les Bas-Fonds*, de Gorki, avec la troupe des Apprentis Sorciers. J'ai un trac fou quand je lui dis, après avoir renversé le samovar : « Débarrasse-moi de mon mari. Enlève-moi ce boulet », surtout depuis que j'ai lu la critique de Jean Basile dans *La Presse*. Il a écrit que j'avais été mal dirigée par le metteur en scène. Ça a été pour moi un coup de Jarnac ! Je pense de plus en plus à mettre fin à ma carrière de comédienne. Dieu merci ! j'ai au moins deux fidèles admirateurs qui viennent presque chaque soir voir le spectacle. Que pensent-ils de ma performance ? Ils s'assoient dans la dernière rangée du petit *Théâtre de la Boulangerie* et ils applaudissent chaque soir à tout rompre. Mon amant dans la pièce m'a dit que c'étaient des passionnés de théâtre. L'un écrit, espérant un jour être joué, et l'autre veut faire ses mises en scène. Si ma mémoire est bonne, ce sont deux Québécois pure laine, avec des noms bien de chez nous, Michel Tremblay et André Brassard !

Rue Tupper

Il paraît qu'au Canada on n'a plus de gouvernement depuis hier soir. C'était à prévoir puisque
le parti au pouvoir est minoritaire. La motion de
confiance a été refusée et après? Je crois que c'est
grave! Mon pauvre pays! Ils en parlent beaucoup à
la télévision, ils présentent même des émissions
spéciales là-dessus. Je pense surtout que ce sera une
bonne publicité pour les libéraux. Des fois, j'essaie
de m'expliquer mon pays mais je n'y arrive pas. Je
suis convaincue que depuis la visite, cet été, de De
Gaulle, notre cousin de France qui est venu nous
crier «Vive le Québec libre», la chose politique va
à une vitesse déconcertante. Montréal est presque
sous tutelle, aux dires de certains éditorialistes. On
craint des échauffourées, la montée en flèche d'un
gouvernement séparatiste, une infidélité à la reine,
la pauvre! Le grand Charles, celui de la France, a
invité Reine Johnson à l'Élysée pour un dîner en
tête à tête avec Yvonne. Elle cuisine, paraît-il,
superbement bien les rognons au madère. «Très
intime, très intime», lui a-t-il dit. Subitement, on
est devenus des grands amis des Français, des

cousins germains depuis trop longtemps délaissés à qui De Gaulle a promis de fins gueuletons avec poire et fromage et son amitié pour toujours. Durant tout l'hiver, des personnalités canadiennes-françaises ont été invitées à l'Élysée. Notre souffreteux ministre de la Culture a eu un long entretien avec Malraux. De Gaulle, c'est un grand-père qui s'intéresse à ses petits-enfants et leur raconte *Le Petit Chaperon rouge*. L'enfant mangée par le loup, c'est pour faire analogie au Québec avalé par Ottawa. De là, sa mise en garde, son impétueux cri «Vive le Québec libre!» Ce qu'il nous promet, De Gaulle, c'est de la culture française! Il va même nous en envoyer par satellite! Malheureusement, très peu d'investissements dans nos industries qui sont déjà contrôlées à quatre-vingt-dix pour cent par des capitaux étrangers, pour la plupart américains. Dans *La Presse*, on rapporte que pour l'année 1967, sur les vingt-sept milliards de dollars qui ont été injectés au Canada, vingt et un étaient américains. «Mais on est déjà séparés! que je me dis, du moins économiquement!» C'est triste, mieux vaut laisser tomber, manger une croustillante baguette avec du pâté de foie gras truffé et boire un bon bordeaux dans son élégante robe rubis.

En attendant qu'on se libère, je continue de m'occuper des relations publiques des pompiers et du syndicat de la construction CSN. Les pompiers veulent changer de nom et s'appeler des comburologistes. Fini les camions de pompiers, les jets d'eau viendront du ciel, les comburologistes descendront en parachute, avec un énorme et ultramoderne tuyau d'arrosage entre les mains. Spectacle féerique! Ça bouge dans la Belle Province. *Fahrenheit 451!*

Pourtant, ça stagne. Non, ça se dégrade, surtout dans la construction. Seize mille cinq cents ouvriers de la construction affiliés à la CSN sont en chômage. Il n'y a plus de sécurité d'emploi pour eux, c'est le plus bas soumissionnaire qui l'emporte. Chaque jour des ouvriers se font tuer, des travailleurs se font exploiter, d'après ce que dit mon président. Je la connais la chanson de la CSN! À l'échangeur Turcot, deux ouvriers sont morts hier. C'est un vrai scandale! Il y a une terrible crise du chômage à Montréal.

Ce matin, je rencontre à la cafétéria de la CSN le président du syndicat de la construction qui doit donner son OK pour mon article sur le projet de la Petite-Bourgogne, que le maire Drapeau diffère sans cesse, avant sa publication dans le journal *Le Travail*. On le qualifie de gars formidable, d'agitateur sans pareil. C'est lui qui a organisé les grèves à Murdochville, à Arvida. Il peut mettre toute la province en grève s'il le veut. C'est un meneur d'hommes! Un héros québécois! Plus il y a d'ouvriers dans un syndicat plus il est fort, m'explique-t-il, et plus c'est payant! C'est le recrutement qui est important! C'est si facile quand on parle le langage des travailleurs! Il me répète pour la énième fois sa stratégie et je bâille aux corneilles tandis qu'une jeune fille d'à peu près dix-huit ans vient se joindre à nous. Il me la présente comme la nouvelle et talentueuse recrue du syndicat de l'alimentation.

Elle a une longue frange noire qui lui descend jusqu'aux yeux, lesquels sont soulignés par un fort trait de *eye liner*, les lèvres roses et charnues, une casquette de velours bourgogne posée de travers, une minijupe de cuir noir, des bottes cosaques, une démarche ondulante, une allure de gouine! Elle nous raconte que ses affaires marchent rondement. Elle a comme mandat de recruter de nouveaux adeptes pour le syndicat de l'alimentation dans les petites épiceries.

— Quand le patron quitte son épicerie le midi pour aller manger à la maison, j'en profite pour entrer dans son commerce. C'est souvent une heure tranquille, l'heure du dîner. Je commence toujours par parler au garçon qui range la marchandise dans la cave ou encore à celui qui livre les commandes à bicyclette et puis finalement, je m'adresse au boucher qui a souvent vingt ans de service. Je mets toute ma séduction à les convaincre qu'ils feraient mieux de se regrouper sous un syndicat avant de perdre leur *job*. J'invente des noms d'épiceries où les employés ont été foutus à la porte du jour au lendemain sans motif apparent, par pures fantaisie et méchanceté du *boss*. D'abord, ils me regardent curieusement, ils me disent qu'ils ont confiance en leur patron, que c'est un bon gars. Alors là, je prends un air insulté et leur fais comprendre que tout ce que je veux c'est leur bien, leur protection, que s'ils ne veulent pas m'écouter, je peux partir dans le plus bref délai car je n'ai pas de temps à perdre. «Vous n'êtes pas protégés, le savez-vous? Si je viens vous rencontrer, tout ça, c'est

pour votre bien! Avez-vous seulement des assuran-
ces accidents? S'il vous arrivait de vous couper ou
de vous casser un membre! Ça pourrait avoir de
graves conséquences! Vous faites des métiers dan-
gereux, en êtes-vous conscients? Si vous passiez un
mois sans travailler, pensez-vous que votre *boss* vous
paierait quand même? Êtes-vous certains qu'il vous
réembaucherait? Vous ne savez jamais le jour où il
peut décider qu'il n'a plus besoin de vous. Il peut
vous mettre à la porte quand il le veut. Ce n'est pas
toujours facile de trouver du travail, il y a un très
haut taux de chômage en ce moment à Montréal.
Vous devriez vous regrouper. C'est une fierté de
pouvoir dire qu'on appartient à un mouvement
syndical. Ça vous donne un statut social enviable,
au même titre que celui d'être blanc, canadien-
français et catholique! Vous deviendriez des êtres
indépendants. Ce serait le syndicat qui négocierait
vos salaires, vos augmentations, vos conditions de
travail. Fini les disputes avec votre patron. Nous
serions vos intermédiaires. Le syndicat c'est l'ami
du travailleur!» Avant que le patron rentre de son
lunch, je leur demande de ne pas lui parler de ma
visite pour ne pas créer un climat de tension à leur
travail et leur donne rendez-vous le lendemain soir
à la taverne d'en face où je pourrai plus à mon aise
répondre à toutes leurs questions.

    — Bravo! Bravo! s'écrie le président de la
construction en claquant dans ses mains. C'est ce
qu'il nous faudrait dans notre syndicat, une belle
petite noire comme toi. Ça réveillerait les gars!

La fille à la casquette affirme pouvoir arriver à syndiquer les travailleurs de toutes les petites épiceries du Québec d'ici un an.

— Je pourrais vous présenter une de mes amies, qu'elle affirme à mon président. Elle n'a pas froid aux yeux! C'est une fille *sexy*. Je vous jure qu'elle vous ferait un bon travail sur les chantiers. Elle vous en trouverait à la pelle des gars pour payer une cotisation syndicale.

Je rage au fond de moi et j'ai une folle envie d'étriper comme un veau cette putain à casquette. Elle n'a pas de cœur, elle s'en fout de faire fermer le petit épicier du coin qui a mis des années à économiser assez pour lancer sa propre affaire. La vie, ce n'est pas fait pour les petits, les modestes, les humbles, les démunis. L'honnêteté? Connais pas! Il faut tailler sa place au soleil au détriment des autres. Il faut se faufiler, arriver. Le syndicalisme, c'est la plaie du Québec. Il est devenu aussi fort que la religion catholique du temps de nos pères. Depuis la mort de Duplessis, le dictateur, il y a eu un tel mouvement de libéralisme. Les églises se sont vidées. Les écoles, les hôpitaux se sont laïcisés. Puis il y a eu la montée en flèche du syndicalisme. Depuis deux ans, il y a des grèves partout. C'est ce qui va perdre le Québec. Les investisseurs étrangers commencent à avoir peur de venir dans la Belle Province.

Quand je prends enfin congé de mon président de la construction, lui ayant promis de parler de lui plus abondamment dans mon article, je décide d'aller chez *Son Père* prendre un verre, histoire de faire passer mon agressivité. Dans l'entrée, je croise mon ami Hector qui enfile son manteau pour partir. Il m'embrasse sur les deux joues, s'informe de ma santé, me confie qu'il en a vraiment marre de son métier de journaliste, décide de retourner s'asseoir au bar avec moi et après quelques cognacs m'invite à aller souper chez lui. Il vient de pendre la crémaillère, rue Tupper.

Dans son appartement du quinzième étage, avec vue sur le mont Royal, nous discutons de nos amours, du curieux destin des êtres, de l'avenir du Québec sur un air de chanson de Joan Baez et Magdalia Jackson. De fil en aiguille, nous en arrivons à parler de littérature et d'écriture. Hector a une grande connaissance des écrivains français, québécois et étrangers. Il écrit lui-même très bien. Ses articles dans *Maclean's* sont de véritables joyaux, son écriture est très stylisée. Je lui raconte volontiers mes dernières nouvelles que je ne réussis jamais à publier, mes difficultés à cerner mes personnages. Il m'écoute d'un silence religieux, m'affirme que j'ai du talent et que mon histoire, *La Fin d'octobre*, lui plaît beaucoup et finira par aboutir. Enfin, il m'avoue avoir commencé un roman il y a deux ans, *Le Temps des princes*, et avoir abandonné après soixante-quinze pages.

— C'est l'histoire d'un homme qui a toujours été trop heureux avec les femmes, trop aimé par elles. Cet homme aurait voulu devenir malheureux, pouvoir enfin souffrir! Il s'ingénie à faire du mal à ces tendres créatures pour qu'elles se désintéressent de lui et lui rendent sa liberté.

Il y avait, derrière ce récit, un grand complexe de culpabilité vis-à-vis de son épouse qui l'aimait trop, qu'il ne réussissait jamais à quitter, même si depuis longtemps il avait des maîtresses. Ce nouvel appartement de la rue Tupper devait lui permettre de réfléchir à sa condition de mâle.

— Les femmes sont ma perte ! me répétait-il. J'ai constamment besoin de les séduire. J'ai parfois des relations avec deux ou trois femmes en même temps que je rends toutes jalouses. Dès qu'une femme me dit qu'elle m'aime, je viens de triompher. Il ne me reste plus qu'à la quitter et à aller séduire ailleurs.

C'est le temps du prince torturé par sa conscience. Hector se dit heureux de m'avoir pour confidente mais je sais que je ne suis pas la seule. Je ne me fais pas d'illusion. Il fréquente trois sortes de femmes, sa légitime, sa ou ses maîtresses et finalement ses confidentes, appelées amies. Je dois dire que ce statut de confidente plaît énormément aux femmes. Je me sens appréciée et prête à lui ouvrir mon cœur. Je considère avec lui que l'amour est un luxe, voire un caprice, comme le disait Musset. Je suis bien consciente du personnage qu'est Hector.

— C'est extraordinaire, pour celui qui n'a pas connu l'amour et la tendresse durant son enfance, de pouvoir serrer dans ses bras toute une nuit une fleur de vingt ans qui jure qu'elle nous aime pour la vie !

Et puis, nous parlons de nos métiers respectifs. Le plus extraordinaire qu'il ait pratiqué est d'avoir vendu des complets aux soldats stationnés en Allemagne pour le compte d'un tailleur italien.

— Je ne savais même pas prendre les mesures. Je faisais tout à l'œil, à tort et à travers. Ils devaient être beaux les soldats canadiens dans leurs complets neufs quand ils arrivaient dans les bars de la ville. J'ai finalement quitté mon emploi avant d'avoir des représailles.

Après avoir bien ri, nous parlons encore de notre pays où il fait quand même bon vivre, une sorte de pays tampon entre les États-Unis et l'Europe. Il est facile de s'embourgeoiser, d'entasser des biens matériels. Hector possède une maison à Outremont, une femme qui l'attend inlassablement, un voilier, une tente, une voiture sport, une familiale, une bibliothèque, une discothèque, un bon crédit. Il a envie de tout planter là, de louer une petite chambre dans le centre-ville et de se mettre sérieusement à son dernier projet de roman, *Voulez-vous danser sur Telemann ?* Je l'encourage. Je lui dis que Henry Miller a tout laissé à l'âge de quarante ans pour écrire et que pour lui, à trente-huit ans, il n'est pas trop tard, qu'il a bien des années devant lui. Nous parlons encore de notre admiration pour Miller, Edward Albee, et du talent de ses amis québécois Dubé, Lemelin...

— Roger, c'est un petit gars de la basse ville qui a fait tous les métiers pour survivre, me raconte avec passion Hector. Maintenant il est très riche, président de plusieurs compagnies dont les fameux cretons Taillefer. Sa vie est l'aventure d'un destin. Un matin, alors qu'il prend un café dans un restaurant de la rue Sainte-Catherine, il fait la connaissance d'un joueur de hockey du club des Canadiens. Ils discutent ensemble depuis un bon moment quand le joueur de hockey s'excuse de devoir le quitter pour aller boire sa pinte de sang. Roger, piqué à vif, le presse de s'expliquer et le joueur de hockey lui raconte qu'il s'agit d'un type de la rue Saint-Laurent, un dénommé Taillefer, qui fabrique derrière sa maison le meilleur boudin en ville. Roger Lemelin lui propose de l'accompagner afin de goûter au fameux boudin. Quelques mois plus tard, au cours d'un autre séjour à Montréal, Lemelin demande à M. Taillefer de s'associer avec lui. Il pressent le succès de l'entreprise. Il fournit ses quelques économies pour des fins d'agrandissement, de modernisation. Il avait visé juste! Les produits Taillefer, la saucisse, le boudin, les cretons, deviennent vite très populaires. Quelques années plus tard, Roger s'ouvre une agence de publicité et commence à faire la promotion de sa charcuterie. Il remporte même le prix du meilleur message publicitaire à la télévision avec l'histoire de son petit cochon très heureux de se faire tuer parce qu'il va servir à faire les cretons Taillefer. Lemelin est en passe de devenir un des gars les plus riches de la ville de Québec. Il a même acheté la magnifique propriété des Pollack, un des plus riches marchands, un vrai château rue des Braves. Dire que Lemelin n'a jamais eu d'amis chez les gens riches, qu'il n'a jamais été admis dans la haute société québécoise! C'est un gars qui s'est fait lui-même. Il vient de la basse ville et les gens s'en souviennent. C'est extraordinaire quand on pense à tout ce que ce gars-là a pu faire. D'abord il a été un des écrivains les plus prolifiques du Québec.

Hector me propose de rencontrer Lemelin. Il
lui serait facile de me mettre en contact avec lui. Il
trouve qu'il y a là matière à un beau reportage pour
Maclean's. Nous parlons et parlons encore du
Québec, des gens qui ont fait ce pays, qui l'ont bâti
à la sueur de leur front, puis à vingt-deux heures
nous décidons de retourner chez *Son Père* pour
prendre le digestif. Nous marchons bras dessus bras
dessous de la rue Tupper jusqu'à la rue Saint-
Laurent et nous tournons sur Notre-Dame dans le
froid de février. Le bar est plein à craquer. Nous
nous joignons à Robert Cliche et à René Lévesque
qui parlent de l'avenir du Québec et discutent de
son statut particulier.

Hill View

CHAQUE APRÈS-MIDI, nous allions nous asseoir à l'ombre des cocotiers, dans le petit jardin de Stacy, pour boire une *Red Stripe* à deux schillings. Nous étions devenus des habitués de sa galerie d'art, de ses drôles de toiles multicolores représentant des Jamaïquaines portant des paniers de fruits sur leur tête, des jeunes garçons insouciants vidant une noix de coco ou courant sur la plage, des vieux tirant sur une charrue, une pipe aux lèvres. Stacy avait fait elle-même les encadrements de ses tableaux et les avait suspendus à des panneaux de bambou qui encerclaient son petit jardin, dans lequel étaient disposés en demi-cercle des blocs de ciment pour asseoir les clients. Il n'y avait qu'une seule chaise longue, aux lattes de plastique jaune, et c'était pour Stacy. C'est là qu'elle buvait sa *Red Stripe* et prenait les commandes pour des envois outre-frontière. Le jardin de Stacy, ou la galerie d'art de Stacy si vous préférez, était, selon Robert, le seul endroit dans tout Montego Bay où, à deux heures de l'après-midi, on pouvait jouir d'une brise clémente. Il nous arrivait souvent d'être ses seuls clients. Toujours vêtue d'un pantalon blanc, d'un chemisier à fleurs, les cheveux attachés en queue de cheval, Stacy aimait s'agenouiller près de la cage de Mister Sley, une mangouste qu'elle nourrissait, à travers le grillage, de pâté en boîte pour chat étendu sur la lame d'un couteau. Elle arrosait ensuite abondamment le fond de la cage avec une cruche d'eau en terre cuite.

Je brûlais de mon dernier coup de soleil, Robert m'enduisait de crème solaire et me chantait *Yellow Bird*. La siamoise venait se coucher à ses pieds, tranquille, ronronnante, alors qu'il s'allumait une *Newport*. Stacy avait retrouvé sa chaise longue. Son livre de comptabilité sur les genoux, elle calculait le prix de revient et de vente de ses tableaux, préparait des états de compte pour ses clients de la pension *Hill View*. Quand elle relevait la tête pour nous parler, elle lissait ses cheveux du bout des doigts et en profitait pour faire sonner les grands anneaux de fer-blanc qui caressaient la chair brune de son cou. Elle n'entreprenait jamais une phrase sans nous faire le plus beau de ses sourires. Elle posait un moment, la tête bien relevée, elle étirait les muscles de son cou, nous exposait son profil gauche, se rengorgeait, entrouvrait la bouche, sortait sa langue effilée pour humecter sa lèvre supérieure, regardait ses ongles, clignait de l'œil droit, nous regardait fixement, Robert et moi, avec un air interrogateur, mimant un : « Devinez un peu ce que je vais vous raconter ! »

Invariablement, elle nous entretenait du confort exagéré des Américains : « On n'a pas besoin de tant pour être heureux » et pratiquait, selon elle, l'art du bien vivre comme la plupart de ses amis. Elle m'avait offert une petite sculpture en pierre de savon. Même si je n'ai jamais pu savoir s'il s'agissait d'un poisson ou d'un oiseau, je gardais précieusement dans ma poche ce que Stacy appelait un porte-bonheur. Elle nous parlait du beau pays qu'est la Jamaïque, de l'honnêteté de ses habitants. Elle laissait ses tableaux exposés à l'extérieur sans personne pour les surveiller. Si elle prévoyait un vent violent accompagné de pluie, alors elle les faisait rentrer à l'intérieur. Stacy faisait une pause, sortait son paquet de *Newport* de sa poche de pantalon, pressait une cigarette dans le coin de ses lèvres pulpeuses et tendait son briquet de nacre à Robert pour qu'il aille l'allumer. La bouche enfumée, elle continuait de discourir, arborant un grand sourire quand un visiteur entrait dans le jardin admirer un tableau. Lorsqu'il repartait, un tableau ou non sous le bras, elle passait ses commentaires, du genre :

— Cette Américaine, c'est la quatrième fois qu'elle vient pour la grande peinture bleue. Elle voulait d'abord en parler à son mari, visiter les autres galeries de Montego Bay, prendre une journée de réflexion pour savoir où elle l'accrocherait dans son salon, etc. Ce genre-là, je connais ! Finalement, elle n'achètera rien, que je me disais. Pour une fois je m'étais trompée.

Quand le client ne payait pas de mine, Stacy, pour le dissuader, haussait volontiers le prix de ses toiles, ne manquant jamais d'ajouter, au cas où elle ferait erreur sur sa personne, qu'elle vérifierait tout de même le prix du tableau dans son catalogue resté à l'intérieur s'il était vraiment intéressé. Elle laissait toujours une porte ouverte pour ne pas perdre de vente. Je la soupçonnais même d'avoir plusieurs catalogues.

Sur une simple pression des doigts, elle claquait au maximum deux coups et une jeune servante jamaïquaine en tablier blanc arrivait avec un grand plateau qu'elle déposait sur les genoux de sa maîtresse. Il y avait invariablement un verre de jus de fruits plutôt rosé quand il n'était pas vert, deux demi-pamplemousses qu'elle pressait allégrement dans sa main pour en extirper le maximum de jus et une grande assiette avec une sorte de pâté, du bacon dans son gras de cuisson, deux ou trois tranches de pain grillées à souhait, deux œufs sur le plat qui avaient la couleur du soleil et quelques tranches de banane. Elle mangeait avec avidité, nous disant que c'était là son petit déjeuner et son dîner tout à la fois. C'était à ce moment-là que les peintres et les sculpteurs des villages environnants venaient la visiter dans l'espoir de lui vendre une œuvre, précisant chaque fois que c'était leur dernière création, celle du matin même, comme si un tableau avait besoin d'être fraîchement fait pour être bon, à la façon d'un plat concocté avec des ingrédients de première main.

Stacy regardait de loin, appréciait, hochait la tête, finissait de sucer son pamplemousse, donnait quelques conseils sur le choix des couleurs, la forme des oiseaux, disait qu'elle y penserait, que ça avait besoin d'être plus travaillé, de revenir un autre jour car la galerie était passablement chargée. Souvent, le sculpteur Mistic restait avec nous. Il s'asseyait par terre, les jambes repliées sous lui. Dans une branche de *litium vitae*, il soumettait des projets de sculpture à Stacy. Cette dernière insistait toujours pour qu'il amincisse les jambes d'un acrobate ou polisse mieux le visage d'une jeune fille.

Nous prenions congé de Stacy vers la fin de l'après-midi. Elle restait là, étendue dans sa longue chaise à lattes jaunes, à influencer l'art de Montego Bay. Nous quittions la petite route de Hill View. Nous rentrions à pied à l'hôtel *Chatham* prendre une douche.

Nous nous retrouvions vite à la terrasse de l'hôtel pour boire un *planter's punch*, servi dans un grand ballon, décoré de tranches d'ananas, d'orange et de limette, avec deux cerises, deux pailles et un petit parasol chinois en papier de riz. Nous buvions comme des éponges du *planter's punch* et de la *Red Stripe* afin d'étancher notre soif, nous mêlant parfois aux clients américains et étrangers de notre hôtel.

Robert avait reçu les confidences d'un vieil Anglais qui lui racontait être venu à Montego Bay dans l'espoir de rencontrer une riche Américaine mais qui n'avait encore rien vu de semblable. Il avait investi ses dernières économies dans ce voyage. Une gitane lui avait lu la bonne aventure dans les lignes de la main et lui avait dit qu'il rencontrerait une femme très riche. Peut-être s'était-il tout simplement trompé d'endroit. Il avait manqué son rendez-vous avec le destin !

La plupart des clients de l'hôtel faisaient dans la soixantaine et même un peu plus. Sérieux, graves, s'appuyant sur une canne, ils avaient l'air de s'ennuyer plus qu'autre chose. Robert et moi, nous nous amusions à les observer. Il y avait un vieil homme, chenu, ventru, qui regardait toujours pardessus ses lunettes. Dans la salle à manger, il s'installait souvent à la table voisine de la nôtre. Il ne disait jamais un mot et de plus il avait l'air méchant comme une teigne. Il avalait par petites bouchées comme si son tube digestif avait été terriblement rétréci. Sa grosse bonne femme, elle, s'empiffrait littéralement. Elle finissait toujours avant lui, le plantait là et allait s'installer sur la terrasse. Robert avait surnommé le personnage M. le juge car il avait la manie de faire claquer sa petite cuillère sur le rebord de la table quand il réclamait du service, comme pour imposer le silence avant de rendre un jugement. Il trouvait toujours moyen d'engueuler le garçon de table, soit qu'il avait mis du temps à venir, que le café n'était pas assez chaud, que ses rôties étaient trop grillées, que son jus de fruits n'était pas frais. Au bout du compte, il se levait de table, se reprenant plusieurs fois avant de se décider à avancer de quelques pas, s'appuyait sur les colonnes de la salle à manger et réussissait à aller rejoindre sa femme qui sur la terrasse rotait, tournait les feuilles d'un magazine et feignait de l'ignorer.

À l'heure de l'apéro, on pouvait remarquer, assise toute seule à sa table-parasol, une vieille fille maigre que Robert avait surnommée la téléphoniste de Bell Canada. Elle sirotait son verre de punch des heures de temps. Après quelques gorgées de cet aphrodisiaque, elle commençait à rougir, étirait son long cou, élevait son verre à la hauteur de son oreille comme s'il s'agissait d'un récepteur et nous faisait signe à Robert et moi de venir la rejoindre.

Les vendeurs de Chrysler étaient des congressistes assez bruyants. Ils étaient pour la plupart mariés depuis une bonne vingtaine d'années et avaient gagné le voyage du meilleur vendeur. Monsieur, libéré de ses tracas, la chemise sortie du pantalon, faisait le pitre sur la terrasse et chantait sur l'air des lampions : « Y fait chaud ! Prends un coup ! Mon minou ! » Il se croyait tout permis, même d'embrasser la femme de son meilleur ami, lui ayant d'ailleurs amicalement cédé la sienne, qu'il trouvait visiblement égratignée comme la carrosserie d'une vieille voiture. Il critiquait aussi le fait d'additionner le quinze pour cent de pourboire sur la facture, qu'il ne pouvait passer sur son compte de dépenses, enlevait ses tam-tams à un musicien de l'orchestre, improvisait quelques notes qui ressemblaient à un *Yellow Bird*, tandis que sa concubine armée d'un petit polaroïd, les seins tombants, branlants, le derrière en trompette, agitant ses fesses grotesques, fixait sur pellicule les plus beaux moments de leur vie. Elles se ressemblaient toutes, ces femmes. Elles avaient une pensée commune, une âme commune, une garde-robe identique, une coiffure semblable. Le soir, elles optaient pour la même perruque frisée blonde qui les dispensait de se coiffer. Maquillées presque en marron, elles tassaient leur chair molle dans une gaine, portaient une jupe fuseau souvent blanche ou rouge et, à les voir se dandiner, il était évident qu'elles s'illusionnaient sur leur charme de jeune fille. Leurs maris étaient comme des jeunes loups affamés. Ils parlaient entre eux de la chair brune et ferme des jeunes Jamaïquaines rencontrées sur la plage de Doctor's Cave, de leurs fesses bien galbées, de leurs seins dodus et fermes et des rendez-vous qu'il leur serait facile d'obtenir quand ils auraient droit à leur soirée de célibataire.

Le soir, nous préférions laisser à l'hôtel les congressistes et les petits vieux et nous sortions manger, dans des restaurants comme le *Lotus* ou chez *Baga*, des *curry goats*, des *pignokkles and rice* avec une bonne bouteille de *gewurztraminer* que nous avions achetée au bar de l'hôtel. Le reste de la soirée, nous marchions dans les rues étroites du village, regardant les maisons basses et pauvres construites à même le sol, les passants avec leur chien maigre, leur bébé qui pleurait tard dans la nuit dans une poussette branlante de fabrication artisanale, la musique souvent américaine en provenance des *juke box* des bars, les musiciens improvisés le long des routes, spécialement les chanteurs de *negro spiritual*, les jeunes filles pieds nus dansant le *rock steady*, les arbres gigantesques et verts dans la nuit étoilée. Une bande de jeunes garçons nous invitaient à les suivre jusqu'au fameux club de la princesse Tamara, danseuse exotique nouvellement arrivée de Chicago, ou encore au fameux *Yellow Bird with all native atmosphere*. Robert leur donnait des schillings et les jeunes garçons disparais-

saient dans la nuit. Nous humions encore l'odeur
des orchidées le long de la route et remontions
jusqu'à Hill View pour souhaiter bonne nuit à
Stacy. Nous ne pouvions rentrer sans nous attarder
devant la mer, regarder les vagues mourir à nos
pieds, écouter le clapotis des eaux et enfin scruter
la ligne des montagnes bleues qui fermaient l'horizon.

Après une randonnée en bateau pour mieux
apprécier les coraux du fond de la mer, quelques
expériences de plongée sous-marine, du shopping
dans toutes les boutiques de la place, la visite de
nombreux bars et restaurants, plusieurs avant-midi
à la plage de Doctor's Cave, des après-midi passés
à la galerie de Stacy, Robert me proposa d'aller
visiter Kingston, la capitale de la Jamaïque, et Port-
Royal, un village pittoresque. Il y avait deux
moyens de s'y rendre, l'avion ou le petit train local
qui mettait quatre heures à traverser tout le pays,
soit un parcours de deux cents kilomètres.

Nous prenions le train de six heures quarante-
cinq le dimanche matin. Nous nous installions sur
un petit banc de bois dans un vieux wagon de
queue empoussiéré qui sifflait sa misère en s'enfon-
çant à travers les montagnes, sous un soleil de feu.
Des poules gloussaient dans leur cage ou se promenaient en liberté dans le wagon alors que les pay-
sans au visage raviné, un mégot pendant au coin de
la bouche, caquetaient entre eux. Nous avions
ouvert la fenêtre pour mieux respirer et apprécier
les vallées vertes de Montpellier, Appleton, Spanish
Town, dont les habitants, abattus, désœuvrés, nous

envoyaient la main, assis sur le quai de la gare. Habillés de loques, ils venaient y reconduire un proche, tantôt un père, tantôt un fils, chargé de mystérieuses caisses et valises qu'ils devaient transporter dans le village voisin, alors que leurs femmes nous tendaient un panier d'oranges, de pamplemousses, de bananes et nous suppliaient d'acheter quelques fruits afin de leur permettre de payer le billet du train. Leurs enfants pleuraient, accrochés à leurs jupes ou tétant désespérément leurs seins taris. Elles restaient là, déconcertées, le regard vide, embrouillé, pieds nus dans les petits cailloux qui bordaient la voie ferrée. Le conducteur tirait l'alarme du départ et son petit train noir gloussait dans la montagne jusqu'au village voisin. J'écoutais le râle des essieux qui lui permettaient de poursuivre sa route dans ce malheureux pays de cocotiers, de champs de tabac, de canne à sucre. Juste avant d'arriver à Spanish Town, les hommes du deuxième wagon se mettaient à chanter quelques complaintes. De grands oiseaux blancs fendaient le ciel, messagers de malheur, et pendant un bon moment le soleil rouge devenait si violent qu'il nous obstruait complètement la vue. Un des employés du train ouvrait la porte d'entre les deux wagons et lançait dans la plaine de gros morceaux de glace que des enfants noirs léchaient de leur langue rose, avant de les emporter dans leur cabane à flanc de montagne. Le train noir, qui avait ralenti pour cette opération, reprenait son long cri désespéré et s'engouffrait dans une caverne sculptée dans le quartz.

Quand venait une éclaircie, j'observais sur le bord d'un petit ruisseau longeant la voie ferrée un vieillard avec sa cruche d'eau, appuyé sur son bâton, qui regardait passer le train. Je fermais les yeux un moment et me mettais à penser aux gens de mon pays qui en ce moment même virevoltaient dans les bourrasques d'un hiver blanc et tragique. Je pleurais, Robert me prenait la main. Je lui disais que la chaleur m'accablait. Il me suggérait de penser à nos merveilleuses vacances d'hiver en Jamaïque, un pays passionnément vert qui explosait au soleil.

À midi, nous étions arrivés à Kingston. Il devait faire environ quarante degrés Celcius et l'air était raréfié. Je voyais pour la première fois de ma vie le spectacle le plus insoutenable qu'il soit permis d'imaginer : des loques humaines, sales, galeuses, décharnées, agonisaient sur les trottoirs. Quand les corps commençaient à se décomposer et à sentir trop mauvais, un homme affecté au ramassage des cadavres descendait d'une vieille fourgonnette qui ratissait la ville à longueur de journée, empoignait les trépassés, les empilait les uns sur les autres dans la boîte arrière de son véhicule avant de les envoyer au charnier. J'étais complètement ahurie par autant de souffrance humaine. J'avais l'impression qu'une transpiration nauséabonde émanait des maisons elles-mêmes, tellement la ville était suffocante. Des enfants mangeaient un bol de riz, appuyés sur les murs des édifices en décomposition ou assis sur les trottoirs parmi les mourants. Des femmes poussaient des voiturettes de bric-à-brac, nous offraient des cartes postales, des stylos-billes, des lunettes de soleil. Nous avions marché jusqu'au port, nous faufilant parmi ces gens tout noirs que l'intensité du soleil réussissait à colorer en rose et ocre. Au marché public, nous avions acheté un panier de paille, des colliers de coquillage, et Robert en avait enfilé un sur son T-shirt blanc. Le traversier pour Port-Royal, une sorte de radeau pour passagers et marchandises, quittait le port à quatorze heures trente. Sur le quai, les enfants nous criaient de lancer notre monnaie à l'eau. Ils plongeaient comme des martins-pêcheurs dans l'espoir de rattraper quelques schillings.

La traversée était agréable en ce sens que la mer était calme et qu'une petite brise venait nous rafraîchir. D'emblée, je trouvais Port-Royal un bien triste hameau. Nous avions immédiatement pris la route qui mènait à Fort Horatio. Les femmes transportaient dans leurs mains des langoustes encore gigotantes qu'elles avaient ramassées sur la grève. Après avoir admiré les plaques commémoratives de Lord Harallo Nelson et de Sir Henry Morgan, nous avions vite compris qu'il ne nous restait plus rien à faire dans ce bled de misère et de désespoir. Nous voulions appeler un taxi au plus vite pour nous rendre à l'aéroport. Personne ne pouvait nous conduire, ni la police ni les pompiers qui n'avaient qu'un vieux camion sans carburant. Nous nous étions finalement installés dans un petit bistrot de pêcheurs pour nous désaltérer d'une *Red Stripe*. Le seul téléphone était à plus d'un kilomètre. Robert avait dû s'y rendre à pied et m'avait laissée en compagnie de quelques pêcheurs.

Un vieux Jamaïquain à la peau tannée et ivre mort, mangeant avec ses mains un bol de salmigondis de poisson, m'avait traitée de *white people*. Il rôdait autour de ma chaise et épiait chacun de mes gestes. J'avais cru bon de me taire. Morte de peur, il me venait à l'esprit qu'il pourrait me séquestrer, me tuer, me violer, vider mon porte-monnaie, demander une rançon à Robert. Je prenais sur moi et restais muette, mais j'avalais difficilement ma *Red Stripe*. Je regardais la mer et souhaitais à tout prix sortir de ce cauchemar du bout du monde. Quand j'avais aperçu Robert venir au loin sur la grève après quelques heures d'attente, je m'étais sentie enfin sauvée. Nous avions eu le temps de boire au moins trois ou quatre *Red Stripe* avant qu'un taxi de l'aéroport ne vienne nous prendre. Dieu merci! nous n'avions pas eu à attendre trop longtemps pour l'avion et le retour à Montego Bay s'était effectué en moins de vingt-cinq minutes.

Nous avions promis à Stacy d'aller la chercher à Hill View dès notre retour, pour l'emmener manger au buffet du dimanche à la *Verni's House*. Quand nous étions arrivés à sa galerie, tout avait disparu. Les portes de la maison étaient grandes ouvertes, les meubles étaient par terre, Mister Sley grattait le grillage de sa cage et criait famine. L'artiste De Pito, l'air plutôt dépité, l'œil hagard comme si la fin du monde était arrivée, était assis dans la cour dans la position du Boudha, avec deux grandes toiles appuyées de chaque côté de ses genoux et qui sentaient encore l'huile fraîche. Stacy avait mystérieusement disparu de même que tous ses tableaux, essayait de nous faire comprendre le vieux peintre en essuyant quelques larmes qui glissaient sur son visage momifié.

Rue Konninginneweg

LES PLEINS JOURS FRISSONNAIENT devant la fenêtre de ma chambre. Je savais que dehors il pleuvait à verse car le vent abattait des gifles de pluie sur la vitre. Parfois, des éclairs jetaient çà et là de faibles rayons de lumière autour de moi. Sur les draps blancs, la lueur timide du soleil venait, puis disparaissait tout à fait et je fermais les yeux. Me lever tout de suite ou attendre. Garder les yeux clos encore une minute! Je me retournais de nouveau du côté de la fenêtre. Je scrutais le plafond, suivais les fentes des murs et regardais les livres étalés sur la commode dont les tiroirs étaient mal fermés. Ma dernière nouvelle, *Ambre jaune*, traînait à côté du lit. Le chauffage était éteint et il faisait plutôt frisquet. Je n'avais décidément plus envie de me lever et je tournais le bouton de la radio avant de tirer définitivement par-dessus ma tête les couvertures de laine et l'édredon. Après un morceau de jazz, on donnait la température, trois degrés Celsius, et on annonçait qu'il était neuf heures quarante-cinq. Mon Dieu! j'étais en retard! Je croyais qu'il était à peine huit heures, d'après la lueur du jour. Je sautais sur mes jambes en vitesse. Je ne savais plus par où commencer. Je me brossais les dents, examinais ma jupe jaune et décidais d'enfiler ma robe bleue. Pour ce qui était du bagage, je pensais qu'il valait mieux ne rien apporter, qu'une brosse à dents et une brosse à cheveux me suffiraient. J'en étais à me demander s'il était préférable de prendre l'autobus ou le métro jusqu'aux Invalides et de là, le car jusqu'à l'aéroport. Oh! là, je commençais à penser que j'avais mal calculé mon temps. Ma toilette écourtée, je descendais en courant les quatre escaliers de mon *Home latin*. La grosse pendule du hall d'entrée indiquait déjà dix heures. Je courais jusqu'à la rue des Écoles. Excédée de guetter à l'autre bout de la rue le bus qui ne venait pas, je décidais de héler un taxi.

— Vite, chauffeur, mon car part à dix heures vingt!

— Il est déjà dix heures dix, mademoiselle. Enfin! je veux bien faire mon possible, mais je ne peux pas voler tout de même!

Et en bon Parisien qu'il était, il continuait son baratin jusqu'aux Invalides. Je ne l'écoutais pas, je pensais seulement: « S'il fallait que j'aie raté l'avion! »

J'avais bien évidemment raté le car de dix heures vingt. J'étais à peine à temps pour celui de dix heures trente. La charmante hôtesse de l'aérogare m'assurait qu'il était impossible d'être au Bourget avant onze heures dix avec le car de dix heures trente.

— Vous pouvez prendre le risque de vous y rendre en taxi. Si vous tombez sur un bon chauffeur, s'il n'y a pas trop de circulation, vous pourrez peut-être arriver à prendre votre avion.

Je sortais des Invalides en courant et montais dans le premier taxi. Il était dix heures vingt-cinq et le chauffeur avait l'air aimable.

— Vite ! Je prends l'avion de dix heures cinquante !

— Ça alors ! rétorquait-il, l'air dépité. Vous prenez une grande chance. Si vous acceptez de prendre le risque, je peux bien vous conduire au Bourget.

— D'accord !

J'avais la certitude que je ne raterais pas l'avion pour Amsterdam.

Bien installée à l'arrière de la Citroën, je regardais Paris défiler derrière moi dans le brouillard. Je fixais aussi d'un œil inquiet le compteur du taxi. Je sortais de mon sac une liasse de billets de dix francs. Je me demandais si j'en aurais suffisamment.

Le brave chauffeur m'emmenait sur l'autoroute de l'est.

— Je crois, mademoiselle, que vous pouvez commencer à espérer. Vous avez de la chance, vous savez. C'est la première fois que je conduis un passager aussi en retard que vous.

À dix heures quarante-cinq, j'étais devant le kiosque de KLM, en avance de cinq minutes car l'embarquement avait été retardé de dix minutes à cause du brouillard. Au micro, on annonçait : « Dernier appel ! Les passagers pour Amsterdam, vol 403, sont priés d'embarquer immédiatement. »

J'embarquais. Je partais pour deux jours à Amsterdam sans trop savoir ce qui m'arriverait là-bas, mais j'avais l'impression qu'il allait se passer quelque chose d'agréable. Ça avait déjà bien commencé et je gardais espoir. Je regardais les passagers autour de moi. «Sûrement pas de compagnon en vue», me disais-je. Je me demandais surtout comment j'arriverais à me débrouiller pour deux jours avec cinquante francs dans les poches.

Sous une pluie torrentielle, l'avion atterrissait à Amsterdam. Je commençais à avoir le trac et me faisais la réflexion que je ferais peut-être mieux de rester à l'aéroport et d'attendre quarante-huit heures le vol de retour. Si j'avais quitté Paris, c'était qu'après y avoir passé trois mois comme touriste ne possédant ni visa, ni permis de travail, ni carte de séjour, je me devais de légaliser ma présence dans la Ville Lumière. Le fait de sortir, n'était-ce que pour deux jours, allait me permettre de revenir pour un autre trois mois, puisque mon passeport aurait été estampillé.

Au bureau de change de l'aéroport d'Amsterdam, mes cinquante francs furent convertis en trente-six *guilders*. En remettant l'argent dans mon porte-monnaie, je frôlais Picasso ou plutôt son sosie qui me faisait un large sourire. C'était un Américain dont la prestance et l'âge correspondaient à ceux du célèbre peintre. Avec son pull blanc à col roulé sous un pardessus en poil de chameau, une bouteille de *bourbon* dans une main, une boîte de cigares dans l'autre et un sac de voyage Pan-Am en bandoulière, l'Américain s'adressait à moi:

— *Miss, tell me...*

Il voulait savoir combien on m'avait remis de *guilders* pour mes francs, avant d'échanger ses dollars des États-Unis. Nous avions vite sympathisé. Il m'avait raconté son histoire. Il venait à Amsterdam pour la journée. Il s'appelait Alfred Solomon et était propriétaire d'une compagnie de chapeaux à New York appelée Madcaps. À son retour d'Amsterdam, il passerait la semaine à Paris pour repartir ensuite à Florence, puis à Londres. Il était en voyage d'affaires et venait en Europe acheter des chapeaux pour son magasin de la Fifth Avenue. Avec cordialité, il offrait gentiment de m'emmener dans le centre-ville d'Amsterdam.

— *My personal limousine is there. Come with me, I will introduce you to my friends of Amsterdam.*

Deux gentils hommes hollandais étaient venus l'accueillir à l'aéroport. Je me joignais à eux et nous roulions tous les quatre dans une grosse Lincoln noire. Assise à l'arrière, à côté de l'Américain plus bavard que tranquille, je comprenais que le monsieur assis à l'avant de la voiture était le propriétaire de la manufacture de chapeaux et que le chauffeur était son fils. J'étais à Amsterdam pour quarante-huit heures et je me demandais comment j'y passerais mon temps.

La voiture stoppait devant la *factory*.

— *Come with us*! répétait l'Américain.

Il avait la certitude que j'avais une tête à chapeaux et me demandait de leur servir de modèle. On m'installait dans une grande salle et, assise sur le bord d'un petit banc rond, j'essayais des chapeaux de toutes les formes et de toutes les couleurs. Plus en avant, un peu moins en arrière, sur le côté! La mode 67! L'Américain commandait des douzaines de chapeaux rose, vert, pourpre. Au milieu de l'après-midi, après que M. Salomon eut terminé ses achats, nous sortions manger tous les quatre. J'avais une faim de loup. À l'hôtel américain, je commandais une entrée de langoustes, un potage aux champignons, une côte de bœuf à la hollandaise, des glaces exquises à tous les parfums, le tout bien arrosé de vin et de bière.

Le fils du propriétaire de la manufacture téléphonait à l'hôtel *Cok* de la rue Konninginneweg pour m'y réserver une chambre d'étudiant à six *guilders* cinquante par jour, petit déjeuner inclus. Une vraie aubaine! Il m'invitait aussi à dîner le lendemain soir et me proposait de me faire visiter la ville en voiture.

Monsieur Solomon, avant de repartir pour Paris, me demandait de travailler pour lui comme secrétaire dès mon retour. J'aurais à lui taper ses commandes de chapeaux de, chez Balmain ou Castillo. Un salaire de secrétaire bilingue pour une semaine ne serait pas de refus!

— *Come with your typewriter, hotel Plazza-Athénée, room 512. You will make money!*

J'étais ravie. Quelle histoire abracadabrante! Je marchais sous la pluie dans les rues d'Amsterdam et regardais sur mon bout de papier l'adresse de mon hôtel, Konninginneweg 30-32. Voyageur sans bagage, je fixais le canal qui serpentait la ville. Je marchais, marchais, passais devant le Palais-Royal, la cathédrale Wefterkek, à droite de la maison d'Anne Frank. Épuisée de ma longue promenade dans Amsterdam la triste, j'allais m'asseoir dans un café à quatre étages avec un escalier en colimaçon en plein centre. Les murs étaient vert bouteille, les abat-jour en paille, une moquette charbon, des serveuses en minijupe et, dans un coin, des Hollandais buvaient de la bière dans de gros bocks, chaussés de sabots. Quelques beatniks fumaient des joints de marijuana, sur une banquette orange. Installée au deuxième étage, ce qui me permettait de mieux observer ce qui se passait au premier et au troisième, je buvais un expresso et fumais ma dernière *Gitane* filtre. Je demandais à mon voisin de m'indiquer quel bus je devais prendre pour aller à la fameuse rue Konninginneweg. Il me répondait qu'il devait lui-même se rendre à l'hôtel *Cok* et proposait de me servir de guide jusque-là, tout heureux de pouvoir parler français. Nous embarquions dans ces interminables autobus bleus, attachés les uns derrière les autres comme des trains. Juif hollandais, mon escorte habitait la maison d'Anne Frank, maintenant convertie en appartements pour universitaires. Il était étudiant en sciences politiques et se rendait à l'hôtel afin d'assister à une partie donnée par les étudiants de sa faculté. Il m'invitait à l'accompagner. Décidément!

Ma chambre d'hôtel de la rue Konninginneweg à six *guilders* cinquante par jour était un dortoir à quatorze lits. Puisque j'étais la seule occupante des lieux, la réceptionniste de l'hôtel, après m'avoir souhaité la bienvenue, me précisait que je pouvais choisir le lit que je voulais. Supersticieuse, je choisissais le treize et gardais le quatorzième comme ciel de lit. Dans cette grande chambre poussiéreuse emplie de lits à deux étages, il y avait tout au fond de la pièce une rangée de lavabos à eau froide seulement. Après quelques ablutions pour me rafraîchir, je descendais dans la grande salle pour la partie donnée par les étudiants de sciences po membres de l'association Machiaveli qui n'avaient rien de machiavélique. Après avoir dansé le jerk toute la soirée, je me couchais exténuée.

Levée pour midi, je faisais les cent pas dans ma chambre d'hôtel à quatorze lits et me demandais quoi faire pour passer agréablement mon dimanche après-midi. Je décidais d'aller visiter le Rijksmuseum, la maison de Rembrandt, ce génie de la peinture hollandaise. J'appréciais davantage Vermeer qui est plus lumineux que Rembrandt, le noir, le ténébreux. J'étais aussi complètement séduite par les toiles de Joseph Israels. Des chairs de sang, des visages structurés, des vieillards osseux, maigres. J'avais également trouvé les aquarelles de Jacob Moris éblouissantes. Mon premier contact avec l'art hollandais me procurait de grands frissons en ce dimanche après-midi plutôt pluvieux.

J'allais ensuite dans les rues d'Amsterdam avec des ocres et des rouges plein la vue car je pensais inlassablement aux tableaux de Joseph Israels. Étrangère à tout le paysage qui m'entourait, je me plaisais à regarder le canal, les prostituées dans leur vitrine, le ciel bas d'Amsterdam, les maisons étroites et hautes briquelées de rouge, leurs jolis pignons. Je passais devant les cinémas. On y jouait des films en français : *La Vie de château*, *La Vieille Dame indigne*. Je remarquais qu'il y avait beaucoup de voitures américaines. On m'avait expliqué la veille qu'il n'y avait pas d'industrie automobile en Hollande et que ce n'était pas plus cher d'importer les voitures d'Amérique que d'un autre pays d'Europe, Amsterdam étant un port de mer et une ville de commerce !

Jean était dans le hall de mon hôtel à dix-huit heures. Nous sortions manger dans un restaurant polonais. J'étais emballée par cette idée.

— Vous devriez rester plus longtemps, me disait-il. Quarante-huit heures pour connaître une ville, ce n'est pas suffisant.

C'était mon dernier soir à Amsterdam et je faisais le vœu d'y revenir un jour.

— À quelle heure est votre avion demain ? Je peux vous reconduire à l'aéroport.

La chance me courait après !

— À treize heures !

— J'irai vous prendre à votre hôtel en fin de matinée.

Nous faisions encore une fois le tour de la ville. Nous passions en voiture devant la cathédrale Wefterkek, à côté de la maison d'Anne Frank, et contournions la place du Palais-Royal. J'observais les célèbres putains d'Amsterdam assises sur une chaise droite dans leur vitrine, balançant la jambe dans une lumière rouge, avec l'air le plus détendu du monde. Elles étaient tantôt blondes, tantôt brunes, grosses ou maigres, et attendaient leurs clients qui, les mains dans les poches, l'œil de braise, se promenaient le long du canal avant de décider laquelle choisir.

Ce lundi-là, quand je quittais mon hôtel de la rue Konninginneweg, le soleil riait à travers les pleins jours de la chambre. Jean, qui était venu me chercher en Lincoln noire, me parlait encore de chapeaux.

— Je vous en enverrai un à Paris du même blanc cassé que votre manteau. Nous ferons de nouveaux modèles au printemps qui vous iront très bien. Pour l'été, nous aurons de grands chapeaux de paille naturelle. Au revoir !

On annonçait au micro : « Les passagers pour Paris, vol 404, sont priés d'embarquer immédiatement ! »

Je quittais, le cœur léger, le pays de la bicyclette et du « hâte-toi lentement ».

Je suis heureuse cet après-midi. Je me frotte les mains et hume l'odeur du *Cabochard* qui a servi à les laver. On ne retrouve pas n'importe quel savon dans les salles de bains de marbre blanc du *Plazza-Athénée* ! Je regarde, placée devant moi, sur le secrétaire stylisé, la nouvelle que j'ai écrite sur mon voyage à Amsterdam et que j'ai intitulée *Rue Konninginneweg*. J'ai pris ce travail de secrétaire pour la semaine et ça m'a laissé du temps libre pour écrire. J'ai transporté en métro, et ce dans la cohue de 17 h, ma machine à écrire. Dans la chambre 512 du *Plazza-Athénée*, je suis assise dans un voltaire d'acajou recouvert de chintz recréant un tableau de chasse avec de grands arbres verts. Je ne peux m'arrêter de respirer cette odeur de *Cabochard* qui me colle à la peau comme un gant et m'enivre. Autour de moi, il y a des chapeaux partout, de Castillo sur le lit, de Nina Ricci sur le secrétaire Louis XIV, et un peu plus loin, sur l'armoire Régence, les dernières casquettes de Saint-Laurent. Elles sont ravissantes et me vont à merveille. Monsieur Solomon est assis lui dans une bergère Louis XV à côté de la fenêtre. Un Davidoff dans la bouche, un verre de *bourbon* à la main, il signe le courrier que je lui ai tapé avant de l'expédier à New York. Tout à l'heure, quand je suis entrée dans le hall de l'hôtel, vous savez qui j'ai rencontré? Elizabeth Taylor en personne au bras de Richard Burton et la sœur de Jackie Kennedy, Lee, accompagnée de son prince polonais, Stanislas Radziwill. J'étais estomaquée. Il ne reste plus qu'à me remettre un peu de rouge à lèvres et à me recoiffer devant la psyché car je sors ce soir. Je suis invitée à *the party of the season*, le plus grand événement de mode à Paris. Je ne suis vraiment pas dans le ton avec mon pull de laine et ma jupe tartan que j'ai achetés à Chelsea, mais je m'en fous. *God bless me*!

Rue du Dragon

JE TRAÎNE MON ROMAN avec moi depuis un an. Je l'ai commencé à Montréal, l'ai mis de côté à Rome, biffé à Florence, et une centaine de feuilles raturées m'ont suivie jusqu'à Paris. Je dors avec *Ambre jaune*. Je le place sous mon oreiller et j'en rêve la nuit. Il est constamment en veille dans mon subconscient. Quand j'en ai assez de chercher le mot juste, de me laisser mener par mes personnages, convaincue que la littérature est un métier ingrat, alors, pour me changer les idées, je lis. Je viens de dénicher sur les quais de la Seine *Paris est une fête* d'Hemingway. Je suis ravie des lieux qu'il décrit, je les fréquente presque chaque jour, place de la Contrescarpe, boulevard Saint-Michel. Il écrit même qu'il apportait dans sa chambre des marrons grillés et des mandarines quand il s'installait pour écrire. Nous avons les mêmes goûts. Je vais aussi acheter des marrons chauds boulevard Saint-Germain et des mandarines rue Saint-Jacques chaque fois que je travaille à mon roman, *La Fin d'octobre*, que je viens de rebaptiser *Ambre jaune*. Souvent je pense qu'en changeant le titre, j'écris une nouvelle histoire, mais au fond de moi, je sais que c'est toujours la même.

Puis quand j'en ai assez de mon enfermement au *Home latin*, je vais m'asseoir dans un bistrot, boulevard Saint-Germain, à l'angle de la rue Du Four par exemple, je demande un grand crème, une orangina, j'observe les gens, j'invente leur vie. Écrire est devenu ma seule raison de vivre.

Cet après-midi, j'ai fait une longue promenade, j'ai traversé le jardin des Tuileries. Le ciel avait toutes les couleurs d'un lapis-lazuli. J'ai regardé longuement le soleil qui dardait ses rayons de feu sur l'Orangerie, je me suis rendue jusqu'au Grand Palais et j'ai rêvé que ce merveilleux automne durerait plusieurs saisons, que Paris survivrait à toutes les villes du monde.

On sonne les vêpres à l'église Saint-Séverin. J'ai rendez-vous rue du Dragon pour aller voir le dernier Antonioni, *Blow up*. Je trouve Vanessa Redgrave très jolie. On m'a dit qu'elle faisait beaucoup de théâtre à Londres en ce moment.

C'est vraiment un des plus beaux soirs d'automne que j'ai connus dans ma vie. Les gens sont calmes, peu pressés, attentifs au miracle du déclin du jour, ce qui est rare à Paris. Dans la nuit qui monte, les néons s'allument, jaunes et rouges. Mon ami Hans m'attend dans la longue file du *Cinéma du Dragon*.

Je sors déçue du film mais Hans trouve que c'est un fidèle portrait de la jeunesse londonienne d'aujourd'hui, une mascarade qui veut vivre, prête à exploser !

Hans est peintre. Il dit vivre pour l'amour de l'art, pour son œuvre. Regarder, observer, découvrir, travailler, c'est le but de son retour à Paris. Il est venu spécialement pour y trouver la solitude.

— Je pourrai mieux me concentrer et puis Paris c'est une des rares villes au monde qui appellent à la création. Quand j'étais à Francfort ou à Düsseldorf, je gagnais trop bien ma vie comme peintre. Tout se vendait, même une abstraction exécutée en dix minutes. C'était trop facile. Je n'arrivais plus à créer. Je m'enlisais un peu plus chaque jour dans la monotonie du quotidien. J'ai tout laissé derrière moi, une maison, une femme. Je n'ai emporté qu'une valise, des toiles et des tubes de couleurs.

Hans habite une chambre de bonne sous les toits, rue du Dragon, en haut d'un restaurant coréen, juste à côté du *Cinéma du Dragon*. Il ne vit que pour son art.

— Il y a des jours où j'ai l'impression de me leurrer sur moi-même. Je m'accorde peut-être plus de talent que j'en ai réellement. Par contre, je sais que le talent n'est rien sans le travail, le travail acharné, obstiné. Je me suis toujours dit que la plus forte raison d'être était de croire en soi. Je crois en mes possibilités de créer. Je ne connais pas de moments plus exaltants que ceux où je peins. Je pense constamment à des formes, des couleurs, de nouvelles textures. Je suis souvent déçu. Ça ne donne pas toujours ce que je souhaitais. Mes dernières œuvres sont proches parents de mes œuvres passées. « On ne change pas, on s'améliore ! » disait un ancien professeur. On est victime de soi-même jusqu'à sa mort. Je me dis souvent que je devrais faire un autre métier, chercher à gagner de l'argent, mais je ne peux pas vivre sans la peinture, elle fait partie intrinsèque de mon être. Je passe tout mon temps à faire des croquis, à affiner mon style. Ça faisait cinq ans que je pensais à revenir à Paris. J'aurais voulu avoir une chambre rue Saint-André-des-Arts. Je n'ai pu en trouver ou alors c'était nettement trop cher. La fontaine Saint-Michel, les quais, Notre-Dame ! C'est un quartier de Paris où je me sens chez moi. J'y ai vécu toutes mes années de jeunesse.

Nous marchions bras dessus, bras dessous, rue du Dragon, Hans et moi, et il me parlait de peinture.

— Je reviens à Paris pour recommencer ma vie. À Francfort, mes toiles étaient sans valeur. Je peignais pour vendre, je vendais pour boire, je buvais pour être heureux et je faisais semblant d'être bien pour plaire à Gretchen. Je l'ai aimée, mais depuis quelques années je ne lui faisais que du mal. Je me répète comme un leitmotiv que je dois recommencer, mais recommencer quoi ? Tout détruire pour mieux reconstruire. C'est peut-être ça la vie ! Un cercle infernal !

— Viens flâner devant les boîtes des quais, boulevard Saint-Germain !

— Viens plutôt faire un tour chez moi. Dans la fenêtre de mon plafond, on voit le ciel de Paris. Je vais te faire grimper sur une chaise, et quand tu auras soulevé la tabatière, la tête hors du toit, tu regarderas s'agiter les Parisiens, tu humeras l'air frais du soir. Quelquefois, la nuit, quand je ne peux trouver le sommeil, j'observe les étoiles qui brillent comme de vrais diamants. Quand il pleut, j'installe une toile de plastique sur ma tabatière. À l'aide d'une corde et d'une poulie, je peux même l'actionner de mon lit, le vrai confort ! Comme en Amérique ! J'ai laissé une bouteille de rosé au frais dans la cuvette. Si tu veux, on la partage. Viens voir mes derniers tableaux, ils sont tous dans les tons d'ocre, de terre de Sienne, les couleurs de la rue du Dragon. Parle-moi de toi, de ton roman *Ambre jaune* !

— C'est justement ton histoire, l'histoire d'un peintre qui veut tout abandonner derrière lui pour pouvoir recommencer à peindre les couleurs de la vie, les mystères de l'automne...

Je quittais Hans au petit matin. L'aube succédait au crépuscule. J'humais l'odeur de la rosée, l'haleine toute fraîche de la terre, et je distinguais le chant d'un merle à travers les branches d'un peuplier en bordure du trottoir. Dans le fil du vent, je marchais d'un pas guilleret vers mon *Home latin*, rue du Sommerard. À la hauteur du boulevard Saint-Michel, à l'angle du boulevard Saint-Germain, je décidais d'arrêter m'acheter une gaufre. Madeleine était radieuse, debout à son stand, astiquant son gaufrier.

— J'ai une bonne nouvelle à vous apprendre ! me criait-elle au loin. Je vous jure, je suis certaine de l'avoir vu hier en fin d'après-midi. Il roulait en voiture. Il avait les cheveux tout gris. Je vous avais dit qu'il reviendrait ! Vous savez que je n'ai jamais perdu espoir ! Même après dix ans d'attente, je l'aime encore comme au premier jour, me croirez-vous ! Je sais qu'il viendra m'acheter une gaufre lui aussi et il me dira : « Madeleine, tout ce temps, je n'ai cessé de penser à toi ! Je suis revenu pour toujours ! »

Boulevard Saint-Germain

J E PERSÉVÉRAIS dans ma vie d'artiste. À vingt ans, on peut vivre de l'air du temps, comme dans la chanson. J'écrivais des nouvelles qui m'étaient toutes refusées les unes après les autres. Chaque jour, j'espérais un chèque qui ne venait pas. On me reprochais de ne pas faire assez québécois, et on me suggerait d'envoyer mes textes au *New Yorker*. Pour parer à cette fin du mois qui revenait sept fois la semaine, j'avais pratiqué tous les métiers : vendeuse de journaux anglais, *Evening News*, *Evening Standard*, boulevard Saint-Germain; jeune fille au pair, avenue Matignon, au rond-point des Champs-Élysées, j'emmenais chaque jour au parc Valeria et Fabrizio; j'avais aussi été secrétaire chez un avoué de grande instance, dans le Marais, et puis comptable chez un exportateur de betteraves à sucre, près de la Porte des Lilas. J'avais espéré un rôle de figurante dans *J'ai tué Raspoutine*; je venais de refuser l'offre de Georges Conchon d'aller tourner un film en Bulgarie (il disait avoir besoin de mon regard), préférant vendre des bijoux-fantaisie Porte de Versailles pour Lehel, un réfugié hongrois qui se tirait d'affaire, puisqu'il se promenait toujours boulevard Saint-Germain dans une grosse Avanti blanche. Il m'était d'autant plus sympathique qu'il connaissait bien l'Amérique. Il était venu à Montréal en 1951 comme réfugié, était reparti pour   New York et San Francisco avant de revenir s'installer à Paris. Ma dernière idée avait été d'ouvrir un bar, un bar québécois. Après avoir mis de côté l'idée d'acheter une péniche sur la Seine et de l'aménager, j'avais trouvé un petit local, dans le sous-sol d'une librairie, rue Bourdonnais, près du manège militaire. Le libraire, qui vendait des livres québécois et des manuels scolaires aux boursiers de mon pays, était prêt à me céder sa cave. Il songeait même à ouvrir sa librairie tous les soirs.

J'avais parlé de mon projet à Bernard Landry, à ce moment-là président de l'Association des étudiants du Québec à Paris, qui voulait, lui aussi, me donner un coup de main. Nous avions élaboré des plans pour utiliser au maximum l'espace. Nous projetions d'exposer sur les murs des tableaux de peintres québécois : Riopelle, Pellan, Dallaire. Landry avait même convoqué une assemblée générale à la maison du Québec pour pouvoir discuter de ce projet. J'avais dressé une liste de tout ce qui serait nécessaire pour meubler le bar. La salle était enthousiaste. Les chansonniers québécois pourraient y faire leurs débuts, on vendrait des cartes de membre. Plusieurs problèmes avaient été soulevés : Devrions-nous obtenir un permis de vin ou d'alcool ? Serait-ce mieux de fonctionner à la façon d'un club privé? Il fallait surtout penser à la patente. Nous devions déposer une demande en bonne et due forme au Commissariat de police. L'Association des étudiants disposait d'une somme de deux mille dollars qu'elle offrait de mettre à ma disposition. On me proposa un barman, un jeune Québécois, poète, étudiant en sciences politiques, qui n'avait pas reçu le renouvellement de sa bourse et qui était en train de mourir de faim. Il pourrait même installer son lit pliant dans la librairie la nuit.

Rien de plus compliqué que l'administration française. On ne pouvait m'accorder de nouvelle licence ni même de patente. Il fallait l'obtenir d'un cabaretier qui fermait ses portes. J'étais désespérée. Après que j'aie parlé à Landry de mes démarches infructueuses, nous en étions arrivés à la conclusion qu'il serait préférable d'agir comme club privé et sans permis. Mes espoirs avaient repris. J'avais trouvé, rue François-Xavier, un jeune peintre pauvre qui, pour une somme dérisoire, allait rafistoler des tables, des chaises en provenance des Puces et refaire l'escalier. J'étais pleine d'idées pour organiser des soirées où nous pourrions discuter poésie, nouveaux romans, chansons, politique québécoise, séparatisme.

J'avais la certitude que *Le Québécois* attirerait bon nombre de Parisiens, d'étrangers, très curieux à l'égard du Québec. Finalement, le vice-président de l'Association des étudiants du Québec à Paris décida qu'il était impossible de monter une boîte sans permis, qu'un jour les flics viendraient, que les amendes étaient très sévères, qu'il fallait penser à la ventilation de la cave, que ça coûterait trop cher et qu'il valait mieux abandonner le projet. Ainsi était tombée à l'eau, presque aussi vite qu'elle était née, l'idée d'un bar québécois.

En attendant de trouver mieux à faire, j'allais passer mes après-midi aux terrasses des cafés. J'espérais toujours rencontrer la grande Sartreuse ou même Gréco. Ma table préférée aux *Deux Magots* était celle qui faisait l'angle du boulevard Saint-Germain et de la rue Bonaparte. Parfois, j'apportais un petit calepin rouge de cuir grenu et, à la façon d'un peintre, je m'amusais à décrire les gens autour de moi, comme si j'avais été installée à leur table.

«Venez, suivez-moi! J'aimerais vous présenter Madame Z, la dame là-bas qui tourne le dos à la marchande de pralines.» Les lèvres rentrées, les commissures tombantes, le chignon sur le dessus de la tête, la mâchoire basse, le sac à main enfilé jusqu'à l'avant-bras, l'œil fixe et morne, elle soulève sa tasse de café péniblement de sa main arthritique. La peau de son visage est grise et couverte de ridules, comme des sentiers qui ne débouchent nulle part. Le malheur et la frustration des années ont eu raison de ce visage sans bonté. Madame Z avale sa salive en broyant rien d'autre que du noir. Elle se perd dans son existence falote. Ses yeux ternes et sans vie, arrondis d'un trait de crayon noir, roulent sur eux-mêmes dans leur orbite en saillie.

Madame Z a les ongles rouges, longs, démesurément longs, pointus, des ongles qui savent s'agripper, au mieux griffer. Repasse-t-elle dans sa tête les sept péchés capitaux, son budget de la semaine ou sa dernière querelle avec son mari ou sa voisine? Je n'arrive pas à lui prêter des pensées intellectuelles et encore moins métaphysiques, tellement toute sa personne dégage quelque chose de primaire, de vulgaire même.

Elle porte une robe fleurie de tous les verts imaginables, une robe à épaulettes foudroyantes, une robe d'il y a dix ans passés. Une maille a filé dans son bas, une maille en plein milieu de la jambe droite et qui descend le long de son tibia. Madame Z décide de replacer sa tasse de café dans sa soucoupe. Elle sort de son sac un paquet de *Gitanes* et de sa main recroquevillée aux doigts fourchus elle fouille son sac, le brasse, le retourne dans tous les sens, semble tout remettre en question. Je lis sur ses lèvres des « Comment se fait-il? Ce n'est pas possible! » Elle fait au moins quatre fois l'inventaire du malheureux sac et pousse finalement un grand soupir. Avec un sourire en biais, elle décide de s'adresser à son voisin :

— Monsieur, pardon, monsieur, dites, monsieur, je vous en prie, monsieur, s'il vous plaît, auriez-vous du feu?

— Je ne fume pas, répond sèchement l'homme à la tête blanche.

Madame Z baisse la tête, pas résignée pour autant. Personne ne fume autour d'elle. Devrait-elle prendre le risque de quitter sa place, ne serait-ce que pour quelques minutes, et d'aller au comptoir demander du feu? Il n'est pas dit qu'elle retrouverait et sa table et son café à son retour. Elle torture donc sa *Gitane* entre ses doigts et cherche du regard le garçon de table. Il a disparu. En l'attendant, elle trempe ses lèvres grapilleuses dans sa tasse, appuie ses coudes sur la table. Entre son index et son majeur, à la hauteur de ses yeux, elle regarde tristement sa cigarette qui n'est pas allumée, puis laisse errer son regard au loin.

Au mois de mai, à dix-sept heures, quand le soleil baisse à l'horizon, les terrases des cafés se remplissent.

— Quart perrier, schweppes avec citron, coca, orange pressée, demi panaché, ricard, martini, expresso, orangina, vitel, bière pression, cappuccino...

On se bouscule aux tables, on trouve un compagnon de fortune. Monsieur X, installé à la table voisine de celle de Madame Z, qui lui a refusé du feu tout à l'heure, le regard alerte, malgré ses quatre-vingts berges, avale la dernière gorgée de son thé citron. J'ai l'impression que c'est le même vieux monsieur que j'ai croisé hier aux galeries Lafayette, dans le département des dessous féminins. Il portait à son nez un petit slip de dentelle, le pressait dans ses mains et le humait comme s'il pouvait avoir une odeur. Hé! monsieur X, dites quelque chose! Votre regard est rivé sur cette Vénus callipyge qui passe boulevard Saint-Germain. Vous rappelle-t-elle une merveilleuse nuit de jeunesse? Vous devriez l'inviter à votre table, lui offrir quelque chose à boire. Vous craignez d'être trop vieux pour draguer? Mais non! Avec votre panama gris, votre costume anthracite, votre odeur distinguée, vous portez *Habit Rouge*, n'est-ce pas? votre teint clair et rose comme celui d'un enfant, votre noble maintien, vous avez fière allure. Seulement baissez un peu votre pantalon, vos bas sont tellement tirés que l'on peut deviner que vous portez des fixe-chaussettes. Quant à vos richelieus noirs, ils sont impeccables, reluisants et étroits comme ceux d'un diplomate. N'est-il pas vrai qu'un diplomate doit avoir le pied fin? Je vous octroie quelques ambassades dans le passé. Cette jeune beauté, vous l'avez repérée sans vos lunettes, pensez donc! Elle vous décontenance? C'est que les yeux de biche et les minijupes sont à la mode!

La starlette fait demi-tour et décide de venir s'asseoir à la terrasse des *Deux Magots*. Elle porte des bas crème qui moulent bien ses ravissants mollets, ses chevilles fines et le beau fuseau de sa jambe qui atterrit dans des chaussures vernies décorées d'une grosse boucle argent. Comme c'est étrange, on dirait que ces chaussures ont quelque chose du passé. Elles rappellent celles que portaient les grands seigneurs à la cour de Louis XIV. Avec sa coupe de cheveux Courrèges, son pull rose à col montant, sa minijupe qui épouse sa jolie chute de reins, elle est une authentique Parisienne, avec toute l'assurance de son charme et de sa séduction.

Comble du malheur, elle va s'asseoir derrière vous, monsieur X. Allez! faites semblant de rien, tournez votre chaise pour mieux apprécier cette jeune Aphrodite. Sinon, vous entretiendrez son souvenir dans votre tête et vous regretterez un jour de ne pas lui avoir parlé. Quel étrange parfum tout à coup! On dirait une odeur de muguet. Ça ne peut être que celle de la jeune A, Albertine, Anémone peut-être, plutôt Anna, comme dans Karénine. Vous devinez que la passion la brûle? L'imagination ne vous fait pas défaut, monsieur X. C'est la brise du printemps qui vous amène à intervalles réguliers les effluves de son parfum! Vous n'avez jamais respiré quelque chose d'aussi frais et à la fois d'aussi sensuel! Ce n'est pas *Joie*. Ce n'est pas *Diorissimo*. Ce n'est pas *Ma griffe*. Ce n'est pas non plus *Vent vert*, ni *Je reviens*, ou *Anaïs*. C'est quelque chose de nouveau. C'est exactement l'odeur que vous avez pressentie, quand vous serriez sur votre cœur la petite culotte rose de dentelle aux galeries Lafayette. La tête vous tourne? Ne vous en faites pas, c'est la frénésie de la vieillesse. Détachez un peu votre écharpe de laine. C'est le printemps! Vous avez peur? De quoi? Que ce soit la dernière fois? Pourquoi? Votre âge? Vous êtes à vous demander sans cesse si ce n'est pas la dernière fois que vous voyez le soleil! Bon Dieu! profitez du bonheur qui passe, il est sans doute plus tard que vous le pensez! Calmez-vous! Partir avec le souvenir de mademoiselle A dans le cœur, quelle belle fin! Fermez les yeux, laissez-vous aller, il est permis de rêver. Vous devriez lire, ça vous calmerait. Voilà *Le Figaro*, ça vous chassera les mauvaises idées. Vous sortez plutôt un livre de votre poche. Ce sont *Les Paroles* de Jacques Prévert. J'adore. Vous le connaissez par cœur. Il a été votre ami? Je ne suis pas du tout surprise. «Rappelle-toi, Barbara, il pleuvait sans cesse sur Brest ce jour-là et tu marchais sous la pluie, ravie, ruisselante, épanouie et je t'ai croisée rue de Siam, tu souriais et je souriais de même. » Vous êtes tellement triste quand vous dites : « C'est une pluie de deuil, ce n'est même plus l'orage de fer d'acier, de sang... »

Ne pleurez pas ! Si si, il y a une larme qui coule sur votre joue droite ! Vous avez des remords ! Vous vous dites qu'à votre âge, au lieu d'être assis au café pour mieux voir passer les jeunes filles, vous seriez mieux dans une église, à regarder la *Consolatrix Afflictorum*. Non, non, n'en faites rien, vous avez le droit de respirer le printemps comme tout le monde ! Vous savez ce que lit mademoiselle A ? Je vous le donne en mille. Vous ne me croirez jamais : *L'Épanouissement sexuel de la femme*. Toute une brique ! Ça a l'air passionnant mais très compliqué, à un point tel que la jeune personne de vos pensées en a la bouche ouverte, en cœur ! Qu'est-ce que vous dites ? Que ce n'était pas si compliqué dans votre temps ! Je vous vois sortir de votre poche un petit calepin noir et un stylo-bille. Vous écrivez, pardonnez mon indiscrétion, vous dessinez des petites fleurs et d'une longue et fine écriture vous tracez des mots comme *paupière, paume, lèvres, lobe, nom...* Il manque des lettres. Vous pensez à son nombril comme une pierre de lune, à son ventre d'albâtre, je le sais...

Le boulevard Saint-Germain est en pleine effervescence aujourd'hui. Vous écrivez qu'il ne vous reste pas assez de ce printemps, de cet été, pour tout admirer, pour tout désirer. Votre vie et votre mort se confondent dans l'odeur de la jeune A, dans le labyrinthe des secondes, des minutes, des heures et des derniers jours. Un sourire, un regard tendre de A seraient votre dernier désir, l'ultime cadeau de la vie avant de partir.

Le dernier vœu de madame Z était d'obtenir du feu pour sa cigarette et elle l'a eu. Depuis ce temps, l'œil abattu, elle frisotte une petite touffe de poils qui jaillissent de son grain de beauté flanqué en plein milieu de son menton. Je ne sais pas qui lui en a donné, j'ai été trop absorbée par vous et mademoiselle A. Vous avez vu le maroufle qui va s'asseoir à sa table. Je parie que c'est le monsieur qui lui a offert du feu, monsieur Y, les culottes en accordéon, les mains larges comme des battoirs, le nez épaté, l'œil salace, ventripotent, le sourire pervers. Quel couple !

Ah ! c'est une dame qui prend place à la table de la jeune A. Quel timbre de voix ! C'est une comédienne sans doute. Une voix pour le palais de Chaillot, une voix digne des imprécations de Camille et des fureurs d'Hermione. Elle me fait penser à Tania Fédor avec ses cheveux blonds comme de la tire, son noble port de tête, sa démarche royale. Elle est sans doute professeur d'art dramatique. Mais elle n'est pas tellement en forme aujourd'hui. Avec son taimeur noir, elle toussote comme dans *La Dame aux camélias*. Elle tend à la jeune A le dernier *Marie-Claire*.

Monsieur X, prenez votre temps, ne partez pas maintenant. Il y aura peut-être quelqu'un pour vous ce soir, quelqu'un qui vous tendra la main. Non, non, pas celle-là, c'est la main du garçon de table.

— Un franc cinquante, monsieur! Vous prendrez autre chose?

Oui, oui, gâtez-vous un peu, monsieur X. Commandez un perrier citron. Je sais, vous ne pouvez cesser de penser à la jeune A, vous aimeriez avoir quelques années de moins, plonger votre regard dans le noir de ses yeux de velours, laisser palpiter votre cœur contre son corps! Votre désir est si fort qu'il devient presque réel. Votre visage s'est empourpré, des sueurs perlent sur votre front, le sang bat très fort dans les artères de votre cou, vous tremblez. Raison de plus de boire un perrier citron, ça vous rafraîchira.

Quelle est cette mascarade qui défile boulevard Saint-Germain? Ce sont des jeunes gens. Regardez les pancartes: «Rendez aux étudiants la place qui leur est due! L'avenir de la France! Le Paris de demain!»

La ville est assiégée. Je crois entendre sonner le tocsin de l'église Saint-Julien-le-pauvre. Des hommes et des femmes descendent la rue des Écoles avec Daniel Cohn-Bendit en tête de file. C'est du moins ce qu'affirme le garçon de table. Il dit que c'est un de ses clients. Mai 68! Les ouvriers se joignent à eux. Les flics descendent sur les quais de la Seine. Ils arrivent par petits groupes avec leurs matraques: «Allez! dispersez-vous! Que chacun rentre chez soi!»

Au loin, je crois que ça vient du quai Voltaire, un orchestre de jeunes Américains chantent: *Freedom! Oh! Freedom!*

Monsieur X n'en revient pas. Dans son temps, on se contentait d'étudier. Quand il aperçoit le malappris qui sort du défilé et vient chercher mademoiselle A à sa table, il s'évanouit.

Le boulevard Saint-Germain est en plein délire et, dans la meute des étudiants, des ouvriers, des meurt-de-faim, deux infirmiers portant brancart essaient de se tailler un chemin : « Laissez-nous passer ! C'est un cas d'urgence ! On vient de nous signaler un vieux monsieur étendu par terre à la terrasse des *Deux Magots*. Il a besoin d'oxygène ! Dégagez ! »

Adieu, monsieur X !

Quand je me lève pour faire de la place aux brancardiers, dans une flaque d'eau, j'aperçois Prévert en casquette qui se noie avec ses *Paroles*.

Via Sardegna

C'EST ENCORE DIMANCHE. Le 31 mars! Il pleut depuis le matin. Le vent gémit dans ma fenêtre en saillie et fait claquer la porte extérieure de mon balcon. À la radio, on annonce cinq degrés Celcius et de la neige pour Pâques. Maudit pays! Mes violettes africaines ont pris un coup de froid. Elles s'étiolent sur la console près de la fenêtre alors que mon philodendron pousse à vue d'œil. Je monte les stores et jette un regard méprisant sur la ville, sur le pont Champlain, le pont Victoria, sur le fleuve Saint-Laurent et Montréal en général. À côté de la petite violette qui se meurt, je prends dans mes mains *La Femme rompue* de Simone de Beauvoir. Ma mère me l'a prêté et elle a souligné quelques passages. «Toutes les femmes se pensent différentes : toutes pensent que certaines choses ne peuvent leur arriver, et elles se trompent toutes.» «C'est si fatigant de détester quelqu'un qu'on aime.» «Cette manière qu'avait André de s'abandonner à la vieillesse.»

Je sais exactement ce que représente chacune de ces phrases pour ma mère. C'est pourquoi j'ai toujours trouvé indiscret de lire un livre souligné, annoté. Cela en dit souvent beaucoup sur son lecteur et de plus ça m'irrite, parce que ce ne sont pas nécessairement les phrases que moi je soulignerais.

Je vais m'asseoir au salon et j'ouvre le poste de télé. Un communiqué spécial nous annonce que Lyndon B. Johnson vient d'ordonner la cessation inconditionnelle des bombardements au Viêt-nam et qu'il démissionne de son poste de président des États-Unis. Je suis folle de joie! Finie la guerre! Depuis vingt ans que ce pauvre peuple vietnamien souffre le martyre.

Et puis le souvenir de Jimmy vient obséder ma mémoire et je ressens avec force toute la misère de sa vie. Je l'ai rencontré à Rome, l'été dernier, dans l'appartement de Sal, *via Sardegna*. Je ne sais pas s'il est encore vivant. À vingt-huit ans, il en était déjà à sa deuxième guerre. Il avait d'abord fait celle d'Algérie, où il avait perdu son frère, et attendait d'être appelé pour celle du Viêt-nam. Il était en vacances forcées à Rome car il était malade d'une blennoragie. Après deux semaines d'abstinence et d'antibiotiques, il avait été convoqué d'urgence par son régiment pour se rendre au Viêt-nam.

Je me rappelle encore cet après-midi où nous étions allés le reconduire à la *Stazione Terminal*, Sal, Daniel, quelques filles et moi. Nous autres les filles, on pleurait. En guise d'adieu, nous avions déjeuné tous ensemble au restaurant de la gare. Jimmy avait mangé des *antipasti di mare*, du *prosciutto* et bu à lui seul toute une bouteille de lambrusco. Moi, j'avais à peine touché à mon artichaut.

— *Stop crying!* nous répétait-il. Ils n'auront jamais ma peau. Ils ont eu celle de mon frère, ça suffit !

J'entends encore aujourd'hui, du plus profond de ma mémoire, la voix rauque de Jimmy. Nous l'avions laissé monter seul dans le train. Sal avait proposé que l'on arrête à une terrasse prendre un expresso afin de sécher nos larmes et de reprendre notre souffle. Après, il avait décidé de prendre sa vespa et d'aller passer le reste de l'après-midi dans le Trastevere. D'autres étaient rentrés à pied à l'appartement. J'avais plutôt décidé de marcher dans Rome. *Via Veneto, piazza Navona, piazza Del Popolo*, partout on pouvait lire des graffitis comme « *Face l'amore, non la guerra !* » Je m'étais assise un bon moment dans les marches de la *piazza Di Spagna*, j'avais regardé longuement la fenêtre de la chambre dans laquelle Shelley avait vécu, écrit et souffert. J'entendais comme une musique qui flottait autour de moi et m'apparaissaient, à travers la vitre, les yeux douloureux d'un jeune homme qui récitait d'une voix éteinte : « *All the earth and air with thy voice is loud, as, when night is bare, from a lonely cloud...* » J'avais eu comme un vertige et j'avais décidé de me lever et de continuer ma promenade dans les jardins du Pincio.

Pauvre Jimmy ! Il me revenait en plein cœur. Il m'appelait *la comparcita* ou madame Lumbrozo. Chaque fois qu'une nouvelle fille entrait dans l'appartement, son seul souci était de savoir si elle ferait l'amour avec Sal, renommé pour être un grand baiseur, vite fait, bien fait, merci mademoiselle ! Si j'étais sur la terrasse, il venait vite m'avertir de l'arrivée d'une jeune fille au pair ou gouvernante et se remplissait un grand verre de vin rouge, tout fier d'avoir fait son devoir de guetteur. Je ne sais pas si c'est l'armée qui l'avait habitué à faire la garde partout où il était, mais *via Sardegna*, Jimmy était au fait de tout ce qui se passait dans l'appartement. Le pauvre, il avait attrapé une blennoragie en Allemagne et se trouvait privé des divins plaisirs de la chair. Il ne lui restait plus qu'à surveiller les autres et à passer ses journées couché sur le divan, rêvant de belles filles blondes comme les blés. Il avait un œil pour Karina, mais cette dernière ne pensait qu'au sergent Rodriguez, rencontré au *Old Vienna*, *via Degli Artisti*, alors qu'il était en permission.

Sal et moi avions été sadiques envers le pauvre Jimmy. Après nous être bien moqués de sa maladie vénérienne, nous avions décidé de le provoquer et de l'exciter sans arrêt.

Ça commençait toujours sur la terrasse, quand il faisait une chaleur accablante. Sal me faisait un clin d'œil. Je le regardais les yeux dans les vaps, la bouche entrouverte, me passant la langue sur les lèvres pour mieux les humecter et simuler un baiser brûlant. Sal jouait au gros matou. Il poussait quelques ronronnements, m'attrapait par la peau du cou, et je le suivais dans sa chambre qui donnait sur le salon. Jimmy était jaloux comme un pigeon. Sal claquait la porte de sa chambre avec fracas, comme s'il était dévoré de passion et pressé d'entreprendre la chose.

Une fois la porte de la chambre de Sal verrouillée, nous écoutions Jimmy qui venait sur la pointe des pieds et se collait l'oreille contre la porte pour ne rien perdre de ce qui se passait. Pris de fou rire, Sal et moi agitions les couvertures, les oreillers, poussions des petits oh! d'entrée en matière, puis des grands ah! de dénouement et des râlements de conclusion. Nous sautions à pieds joints sur le lit, étouffant nos rires dans l'oreiller, pour simuler des ébats encore plus sauvages et passionnés. Nous savions que nous poussions ainsi au paroxysme la jalousie de Jimmy.

Pour mieux rire de lui et le rendre fou d'envie, Sal et moi étions entrés dans la chambre jusqu'à treize fois dans la même journée, simulant orgasmes après orgasmes. Jimmy n'en revenait tout simplement pas. Il me regardait d'un œil timoré et c'est alors qu'il m'appelait madame Lumbrozo, ou *la comparcita*. Il avait une telle admiration pour Sal, le *Latin lover*, que lorsqu'il sortait de la chambre à coucher, il lui cédait son fauteuil dans le salon et allait lui servir un verre de vin afin de le laisser se relaxer.

Quand il était parti pour la guerre, j'aurais voulu lui avouer que tout ça c'était du théâtre, qu'il n'y avait rien de plus que de la camaraderie entre Sal et moi, qu'il avait été victime de sa naïveté et de son voyeurisme. Je pleurais trop pour dire quoi que ce soit. Le plus dramatique, c'est que j'ose encore rire aujourd'hui de cette vulgaire plaisanterie. Dire que Jimmy ne se doutera jamais qu'il n'était que la victime de son envie! Voilà où cela mène d'être trop naïf, à servir de tête de Turc! A-t-il survécu aux bombardements sur le Viêt-nam? Je ne le saurai jamais. Dieu ait son âme!

Le téléphone sonne à grands coups et me sort de mes pensées. C'est Karina. Elle est à Dorval et compte être chez moi à dix-huit heures. Je suis contente de savoir qu'elle est enfin arrivée. Dans sa dernière lettre, elle m'avouait qu'elle avait des difficultés d'argent. De toutes les filles que j'ai rencontrées dans mes pérignations outre-mer, Karina est une de celles qui ont vécu le plus de malheurs. Depuis sept ans, cette Finlandaise traînait sa vie et son baluchon de Stockholm à Londres, de Londres à Amsterdam, d'Amsterdam à Berlin, de Berlin à Paris et de Paris à Rome.

Quand je la rencontrais dans les rues de Rome, elle était toujours pressée d'aller prendre son bain à la *Stazione Terminal*, où la moitié de ses effets étaient restés à la consigne. Elle habitait une petite chambre miteuse sous les toits, sans aucune commodité. Elle avait de grands cernes sous les yeux et se bourrait de somnifères chaque nuit. C'était quand même une assez jolie personne, très blonde comme toutes les filles du nord, avec un teint de pêche et un corps athlétique. Elle portait toujours quelque chose de rouge, des chaussures, des boucles d'oreille, un foulard et je ne sais quel autre petit rien qui lui allait à ravir et était en quelque sorte son fétiche, sa marque de commerce.

Elle était très gaie en apparence. Elle ne passait jamais cinq minutes sans rire, d'un grand rire nerveux sonore, et pour un rien, elle s'esclaffait et ça devenait presque irritant. Mais je savais son rire angoissé. Elle était à la recherche de l'homme de sa vie, depuis qu'elle avait atteint l'âge de ses dix-sept ans. Elle voulait un mari possédant ce qu'elle appelait deux qualités essentielles : « bien faire l'amour, bien faire l'argent ». Elle prononçait cette phrase avec conviction et un accent si délicieux, en escamotant tous les *r*. Ça donnait une phrase comme ceci : « Deuxchosesimpotantunhomme, bienfaitl'amoubienfaitl'agent. »

Il faut dire que Karina avait appris quatre nouvelles langues en l'espace de sept ans : l'anglais, l'allemand, l'italien et le français. Elle ne parlait pas ces langues, elle les baragouinait. Quand elle cherchait un mot, elle sautait volontiers de l'Allemagne à l'Italie. Nos conversations étaient drôles à entendre et truffées de mots disparates.

Karina venait souvent à l'appartement de la *via Sardegna*. Elle mangeait avec nous les spaghettis à l'huile d'olive et au parmesan et venait prendre un bain de soleil sur la terrasse ou même un vrai bain dans notre vraie salle d'eau. Elle me parlait souvent de Sal, me disait qu'il voulait coucher avec elle. Elle se disait fière de lui avoir toujours résisté et me demandait pour la énième fois s'il avait beaucoup de maîtresses, si j'avais déjà fait l'amour avec lui, s'il faisait bien l'amour. Finalement, elle en arrivait toujours à la même conclusion : « Je ne veux pas me donner à lui pour rien. »

Karina prenait tout au sérieux chez un homme et se sentait sans cesse convoitée. Elle ne voulait surtout pas se tromper. À chaque mâle rencontré, elle se disait que c'était peut-être l'homme de sa vie et ne voulait surtout pas qu'il pense d'elle qu'elle était une fille facile. Elle était incapable d'imaginer une nuit d'amour sans lendemain.

Après avoir rameuté son souvenir ainsi que celui de Jimmy, je me demandais ce qui avait déclenché sa venue à Montréal.

Au premier coup d'œil, quand je l'aperçus appuyée au chambranle de la porte, je l'ai trouvée extrêmement changée. Elle ne portait pas de rouge et n'était plus jolie. Elle avait grossi, vieilli. Ses cheveux blonds étaient sans éclat. Elle était vêtue d'un chemisier blanc, d'un pull noir torsadé, d'un pantalon de velours ocre côtelé très large, ce qui ne l'amincissait pas, et de longues bottes cosaques au cuir fendillé et sale.

Après le dîner, nous avons encore parlé de Rome, de Sal, de Jimmy, de l'immense appartement de la *via Sardegna*, des pâtes fraîches, de l'huile d'olive, du parmesan et du vin rouge, de la *Stazione* naturellement, et elle m'a chanté avec un accent délicieux «*Blue, blue*, le ciel est *blue*». Elle m'a avoué qu'elle n'avait jamais revu Sal et avait quitté son emploi de serveuse au *Old Vienna*, *via Degli Artisti*, à la fin décembre. On lui avait dit, partout en Italie, qu'elle pourrait faire fortune à Montréal comme serveuse dans un grand hôtel. Elle se proposait dès le lendemain de chercher un emploi. Elle me disait ne vouloir rester à Montréal que quelques mois, le temps de ramasser un magot et de repartir pour Toronto, Vancouver ou San Francisco. Elle voulait voir le Pacifique. Elle n'avait aucune idée des distances et ne savait pas que le Canada était aussi étendu que plusieurs pays d'Europe réunis. Elle m'avoua qu'avant de venir à Montréal elle avait travaillé comme femme de ménage afin de pouvoir payer son billet d'avion pour le Canada.

Je remarquai ses mains aux jointures enflées et aussi des traces de rougeur sur tout son visage. Je l'assurai qu'elle pourrait habiter avec moi un bon moment, jusqu'à ce qu'elle trouve de l'emploi. Et puis, finalement, nous avions décidé de sortir. Elle était anxieuse de connaître le Montréal *by night*.

Nous avons descendu la rue Saint-Mathieu jusqu'à la hauteur de la rue Sainte-Catherine. Nous marchions côte à côte dans le soir. Elle chantonnait *Imagine* des Beatles, puis *Sta sera mi buto*, la chanson à la mode dans toutes les discothèques de Rome. Karina était fort surprise que ce soit si calme. Elle trouvait Montréal très peu peuplée. « Combien y a-t-il d'habitants ? » « Un million et demi ! » « Mais où sont-ils ? » « À *la casa*, comme les Italiens. » Elle était impressionnée par l'énormité des voitures : « C'est presque un appartement sur roues ! » Le confort américain ! Elle en rêvait depuis un bon moment. Rue de la Montagne, elle me demanda si c'était le Pigalle de Montréal. Les néons multicolores lui faisaient penser à cet endroit malfamé de Paris. Ce qu'elle avait pu voir de l'habillement des femmes lui rappelait la mode londonienne. Elle en était encore plus convaincue lorsqu'elle s'arrêta à la vitrine de *Ogilvy*. Karina me dit qu'elle était épuisée à cause du décalage horaire. Nous nous sommes arrêtées chez *Bourgetel* pour boire une bière. Le seul café-terrasse de Montréal ? Karina n'en revenait tout simplement pas.

— Montréal me fait penser à la Finlande, conclut-elle. Il n'y a personne dans les rues. Les gens restent chez eux, ils ont le confort dans leurs maisons.

Elle était ravie de voir que j'avais une salle de bains complète. Le *standing* américain!

— Pas de bain public comme à la *Stazione Terminal di Roma*, ni vespasienne comme à Paris, ni bain sauna comme en Finlande, mais Montréal est presque aussi humide qu'Oulo, ma ville d'origine, conclut Karina très peinée. Je n'aime pas le froid! Je veux vivre au soleil! Mon rêve est d'aller habiter soit en Californie soit en Floride. J'y trouverai un riche Américain et serai parfaitement heureuse!

Chère Karina, pour elle, un Américain, c'était la fin du monde et surtout: «L'agentpoumangé, l'agentpoudomi, l'agentpours'habillé, l'agentpousoti, l'agentpoufail'amou!»

— Les hommes manquent de respect envers les femmes pauvres! répétait-elle sans cesse.

Elle en savait quelque chose.

Montréal la décevait grandement, mais elle y était en transit pour ramasser le magot et demander un permis d'immigrant pour les États-Unis. «C'est ce que tous les Européens font», m'affirma-t-elle. Karina se mit à chanter cette fois l'air de *San Francisco USA* et de nouveau *Sta sera me buto*. Cela nous rappelait de bien bons souvenirs.

Nous avons décidé de quitter *Bourgetel* et de rentrer à la maison. Karina se plaignait d'une grande fatigue et de fréquentes nausées. Je ne devinais toujours pas où elle voulait en venir. Bien assise sur le divan, serrant dans ses bras un coussin, elle a éclaté en sanglots:

— Je suis enceinte du sergent Rodriguez et je l'aime à la folie! Je suis venue à Montréal pour le retrouver. Il est cantonné dans une base américaine, mais je ne sais pas laquelle. Elle ne parlait pas bien l'anglais et me demandait de faire les vérifications pour elle dès le lendemain.

— Je me suis donnée à lui par amour! Ça s'est passé à Rome, juste une semaine avant Noël. C'est arrivé *via Sardegna*. Sal m'avait invitée à une partie. Je veux le retrouver! Je veux garder mon enfant! Je l'aime! Il voudra sûrement m'épouser. Je ne peux pas élever un enfant toute seule, c'est trop difficile, je ne gagne pas assez d'argent! Et si c'était un garçon, il n'aurait pas d'identité. Je prie chaque soir pour retrouver vivant le sergent Rodriguez. Je n'ai encore rien dit à ma famille, tu es la première à qui j'en parle. Si ma mère savait ce qui m'arrive, elle mourrait d'inquiétude et de honte!

Après avoir discuté du sort du bébé dont elle accoucherait à la mi-septembre, elle s'endormit sur le divan. Je plaçai un oreiller sous sa tête et la couvris d'un édredon. Sergent Rodriguez! *where are you?* Je ne pus fermer l'œil de la nuit. De ma chambre, j'entendais Karina respirer péniblement et pousser quelques glapissements du plus profond de son sommeil.

Le lendemain matin, je m'installai au téléphone, ne sachant pas encore que j'y passerais une bonne partie de la journée. N'ayant pu rejoindre le sergent Rodriguez en personne, j'ai réussi à parler à son patron. Je lui ai expliqué le cas de la jeune femme qu'il avait séduite pendant sa permission à Rome et qu'il avait laissée enceinte et dans le désœuvrement le plus complet. Le lieutenant me sembla très sympathique à la cause et me promit de communiquer la nouvelle. Les journées passèrent. Karina grossissait. Le téléphone ne sonnait jamais. Elle s'était trouvé entre-temps un emploi de serveuse au *Reine Élizabeth*. Ses jambes enflaient. Son visage était boursouflé par la chaleur et la canicule la rendait encore plus malade. Voyant qu'elle ne recevait toujours pas de nouvelles de son sergent Rodriguez, Karina me demanda de téléphoner de nouveau à son patron pour savoir ce qui se passait. Ce dernier me répondit que le sergent ne voulait rien savoir de cette jeune personne, qu'elle n'avait qu'à prendre ses précautions, qu'il était marié et ne voulait aucunement briser son mariage et sa carrière. Karina était au désespoir.

— Ça n'a pas de sens! criait-elle. C'est l'homme de ma vie! J'en suis certaine! Il m'a fait un enfant, il ne peut pas m'abandonner comme ça! Je l'aime! Je l'aime comme une folle! Jamais je n'ai ressenti autant de passion pour un homme! Je ferais n'importe quoi pour lui. Il est si beau avec ses cheveux noirs ondulés! Mon Dieu! que vais-je devenir? Et l'enfant de lui que je porte? Je ne peux quand même pas le donner! Je suis certaine qu'il m'aime aussi, qu'il va revenir! Ça prend du temps parfois avant d'obtenir un divorce!

Karina pleura toutes les nuits et continua de grossir à vue d'œil. Enceinte jusqu'au menton, elle dut quitter son travail au mois d'août. Elle restait allongée sur le divan toute la journée et espérait encore la sonnerie du téléphone. Elle avait réussi à obtenir le numéro de téléphone personnel de son sergent en demandant à la téléphoniste tous les numéros de Rodriguez de l'État de Pennsylvanie. Elle avait parlé à l'épouse et cette dernière l'avait traitée de petite pute, lui avait ordonné de laisser son mari tranquille et lui avait raccroché au nez.

Le 10 septembre, au plus fort des contractions, Karina appela un taxi pour se rendre à l'hôpital Royal Victoria. Comme elle n'avait pas d'argent, on lui fit une faveur spéciale et on la plaça dans une salle commune. J'étais en reportage. Quand je rentrai le soir, le téléphone sonnait. Au bout du fil, elle m'annonça qu'elle avait mis au monde un beau garçon de trois kilos et demi aux yeux et aux cheveux noirs comme ceux du sergent Rodriguez :

— Il est aussi beau que son père ! Il va l'aimer, j'en suis certaine ! Il ne pourra jamais le renier, il lui ressemble trop !

Le lendemain, Karina s'amenait à l'appartement avec le bébé.

Après deux semaines d'allaitement, elle le confia à une dame du nord de la ville qui le gardait chez elle cinq jours par semaine. Elle retourna à son travail de serveuse au *Reine Élizabeth* et se dénicha une chambre tout près de la gare Windsor avec salle de bains à l'étage. Elle empilait ses dollars pour un voyage aux États-Unis. Elle voulait à tout prix faire des arrangements avec le sergent Rodriguez et lui présenter son fils.

En attendant le printemps, elle avait décidé de faire baptiser le petit et était allée prendre les informations auprès du pasteur de l'église Saint James the Apostle, rue Sainte-Catherine. Il lui fallait un parrain et une marraine. Je fus désignée d'office comme marraine et elle écrivit à son frère, resté à Oulo, pour lui demander d'être parrain. La cérémonie de baptême avait été fixée au 8 novembre. À l'heure prévue, nous nous présentâmes à l'église avec le bébé emmailloté dans plusieurs couvertures de laine, car il faisait très froid. Le curé lui assigna un parrain en la personne d'un paroissien agenouillé devant la statue de saint Jacques. Avant de baptiser le bébé, le curé demanda à Karina si elle avait la lettre de son frère dans laquelle il déclarait qu'il s'engageait à prendre l'entière responsabilité de l'enfant au cas où elle mourrait. Karina avoua qu'il ne lui avait pas encore donné de réponse, que peut-être la lettre s'était perdue, qu'elle viendrait la lui porter aussitôt qu'elle la recevrait. Le pasteur se fâcha, arrêta le baptême, jeta lui-même le bassin d'eau bénite et lui dit qu'il ne pouvait pas donner le sacrement à son fils.

Nous étions reparties toutes les deux avec l'enfant. Nous le prenions dans nos bras chacune notre tour, courant presque rue Sainte-Catherine, de la rue Bishop jusqu'à Saint-Mathieu. Karina pleurait, le bébé aussi. Je l'ai gardé dans mes bras un bon moment. À l'appartement, un goûter nous attendait. Ron était déjà arrivé. Il avait apporté deux bouteilles de vin et un ourson en peluche pour le nouveau-né. Nous avons quand même célébré. Karina avait finalement séché ses larmes. Nous avons quand même beaucoup ri et même dansé.

Juste avant Noël, une lettre est arrivée de Finlande. Karina alla la porter au pasteur qui finale-

ment accepta de baptiser le petit. Nous avons fait une
autre fête, plus intime cette fois, avec des dragées et
un gâteau tout blanc. Karina avait repris sa taille et
espérait toujours mais en vain un téléphone du
sergent Rodriguez. Elle était morose et arrivait à trouver le sommeil seulement avec des somnifères. Son
bébé était ravissant et en parfaite santé.

Au mois de mai, elle avait amassé cinq cents
dollars et décida de partir pour les États-Unis à la
recherche du sergent Rodriguez. J'allai la conduire
à la gare Windsor avec son bébé. Elle répétait sans
cesse :

— Je l'aime, c'est l'homme de ma vie, je suis
certaine qu'il finira par m'épouser !

Je lui envoyai la main pour la dernière fois. Je
ne reçus plus jamais de ses nouvelles. Je me sou-
viendrai toujours de sa tête sortie de la fenêtre du
wagon. Karina tenait le bébé dans ses bras. Ses yeux
bleus étaient si pâles et ses paupières enflées comme
si elle venait de pleurer. Elle était habillée de blanc
et son fils de même. C'est la dernière image que j'ai
gardée d'elle : une pâleur extrême, une grande fatigue, un regard éteint en proie à un immense désespoir. Depuis son arrivée à Montréal, je l'avais bien
remarqué, elle ne portait plus jamais de rouge et
n'était pas jolie comme autrefois, quand je la rencontrais *via Sardegna* !

Souvent, au fil des années, j'ai accouru auprès
de jeunes femmes en qui j'avais cru reconnaître
Karina, mais je faisais toujours erreur. J'ai souvent
pensé à elle, me suis beaucoup souciée de son destin et, où que la vie l'ait conduite, je voudrais l'as-
surer de mon amitié.

Avenue Road

JE REPRENAIS MON ERRANCE dans les rues de
Toronto. Je venais tout juste d'atterrir et je marchais dans l'air vif de la fin d'octobre, ma valise
rouge à la main droite. J'allais dans le fil du vent et
je chantais Barbara : « Je ne sais pas pourquoi la
pluie quitte là-haut ses oripeaux, je ne sais rien de
tout cela, mais je sais que je t'aime encore ! » « Moi
je voulais un homme qui au petit matin me pren-
drait par la main pour m'emmener croquer un
rayon de soleil. » En ces temps-là, je mourais cent
fois par jour et je ressuscitais tout autant. Mes états
d'âme se succédaient à un rythme affolant. Je
m'évanouissais à son regard, je me ranimais à son
sourire et j'étais de nouveau envahie d'un désespoir
soudain. Il me disait qu'il serait mort à quarante
ans et moi j'avais la certitude de ne pas pouvoir
dépasser la trentaine.

David était à mes yeux un homme détaché des
biens de la terre qui rêvait des quatre horizons. Il
travaillait à Toronto mais il avait laissé son âme à
Paris, rue de la Parfumerie. En attendant, il promenait sa douleur dans le monde entier. Parfois, il

posait les pieds sur le sol montréalais et alors on eût dit qu'un vent ensorceleur de la Costa Brava, si ce n'est celui de la Costa del Sol, soufflait dans sa belle chevelure de bronze martelé. Il ne pensait pas, il se pénétrait d'infini, de poésie, d'indestructible. Vivait-il heureux ou malheureux? Il était à ce sujet trop énigmatique, voire ambivalent, pour que je puisse l'affirmer. Il parlait le moins possible de ses états d'âme. Quand je le croyais inquiet, fébrile, doux, tendre, il se montrait révolté, violent, passionné, amer.

David aimait les chats, spécialement les gros matous. Il raffolait des films de James Bond. Il dévorait son bifteck saignant. Il achetait des complets de tweed anglais qu'il égayait d'une cravate en soie italienne, se chaussait chez un bottier français. Il ne boutonnait jamais son col de chemise et conservait quand même beaucoup d'élégance. Il avait un regard doré qui s'enflammait à tout instant sous ses lunettes à monture d'écaille. Je lui trouvais tous les charmes d'un héros romantique. Il était mon prince de Hambourg et avait une ressemblance certaine avec Gérard Philipe. Au moment où je le croyais parti sur les ailes du temps ou de la poésie, il venait m'expliquer en détail la crise rhodésienne. Il désapprouvait avec ferveur la politique de De Gaulle, critiquait celle de Lesage, souhaitait faire la cour à Jackie Kennedy et, pour ses bons amis, un soir de tempête, il aurait récité par cœur le rôle de Lady Macbeth. Il disait aimer le jazz, mais faites-lui écouter Brubeck pensant deux heures et je vous défie de le surprendre un seul instant à donner une mesure soit avec son pied, sa tête ou même ses doigts. Il était anglais avant tout, et ce, jusqu'au bout des orteils, et je dirais même encore avec plus de flegme.

Au taxi, au restaurant, il se montrait toujours très amical avec le chauffeur, la serveuse. Il avait pour marotte de demander aux gens d'où ils venaient comme s'il y avait eu autant de pays que d'individus. Il était toujours avide de nouveau, de sensationnel. Le *Time Magazine* avait trouvé en lui une bonne recrue. Il me racontait tous les poètes, de Villon à Péguy. Il ne connaissait pas encore Vigneault mais me promettait d'acheter *Le voyageur sédentaire*. En peinture, il affectionnait Braque, Rouault et Jean Paul Lemieux. Il se lavait toujours avec un savon à l'huile d'olive et sa peau mate et douce en retenait toute l'odeur. Il ne supportait que l'arôme de l'expresso et du Earl Grey.

Au moment où j'aurais le plus souhaité le prendre dans mes bras, il était introuvable, il avait disparu. J'étais des semaines sans avoir de ses nouvelles. Quand j'avais fait des efforts pour l'oublier, il surgissait comme un cheveu sur la soupe, tout fier de déclarer que cette absence lui avait été longue et pénible.

Après quelques brèves rencontres à Montréal, accompagnées de départs précipités, je pensais à lui jour et nuit. Il envahissait mes pensées et comme un chien je guettais son odeur partout, dans la rue, au restaurant, dans mon lit. J'en étais arrivée à ne même plus vouloir sortir par peur de rater son coup de fil.

Il me donnait la fièvre, le vertige. J'étais atteinte d'une flemmingite aiguë. J'étais toute à lui. Je frémissais de son souvenir. Il m'apparaissait même dans la pénombre de la nuit et se faufilait dans chacun de mes rêves et de mes projets.

J'étais donc au paradis, non plutôt dans le nirvana, quand il m'invita à aller passer quelques jours dans son appartement de l'avenue Road. Je pris l'avion pour Toronto un vendredi matin.

Il n'avait pas pu venir me chercher à l'aéroport à cause de son travail et je pris un taxi jusqu'à l'avenue Young. J'étais en avance et j'avais décidé de marcher jusqu'à chez lui, d'un pas lent. J'étais très émue à l'idée de le revoir et trop secouée de cette si longue attente pour me presser.

Complètement muette quand il m'a ouvert sa porte, je n'ai pu lui expliquer ma douleur amoureuse. Paralysée en sa présence, je restai là à regarder frissonner les tentures dorées devant la fenêtre à peine ouverte. Il était ma fleur de peau et les quelques fleurs fanées qui s'étiolaient sur la cheminée emplirent mon âme d'une vaporeuse mélancolie. Je détournai mon regard vers la table en osier couverte de paperasse, ployant presque sous le poids des bouquins, où il terminait un article pour l'édition du *Time* du samedi en quinze. Puis, je me suis assise en face de lui. J'osais à peine respirer pour ne pas le déranger. L'amour me courait sur la peau et la déchirait en lambeaux.

En fin d'après-midi, je m'étais installée sur le bout du sofa. Il me rejoignait à l'autre extrémité. À demi assis ou à demi couché sur le divan, comme vous voulez, il se mit à lire le *Time*, *L'Express*, *The Gazette*, *The Montreal Star*, le *New York Times*, *Le Monde*. Il avait l'air de tout comprendre, Cuba, le Viêt-nam, l'Algérie, les séparatistes du Québec. Il me souriait mais ne me parlait pas. Je m'ennuyais. Je naviguais sur un océan de tristesse et je me noyais dans la douleur de notre silence. Je me disais que David n'était pas seulement heureux avec lui-même, mais bienheureux.

Je le laissai tranquille avec ses lectures et j'allai dans la cuisine, là où l'on trouvait des caisses vides, des malles aux serrures anciennes. Je regardai, par la fenêtre sans rideau, mon bonheur qui s'esquivait dans la lumière rasante du jour. Je chantai à voix basse : «Le ciel est triste et bleu comme un grand reposoir. Le soleil s'est noyé dans son sang qui se fige. Ton souvenir en moi luit comme un ostensoir.»

Dans la cour, je regardais venir l'hiver qui étalait sa première neige sur le gazon jauni. L'asphalte de l'avenue Road demeurait luisant comme un miroir. Je distinguais au loin une grosse maison de pierres avec son toit rouge qui se préparait à accueillir le froid en crachant une belle fumée bleutée de son imposante cheminée et là sous mes yeux je remarquai que la Volkswagen bleue de David montrait des signes de fatigue et de rouille. Un tableau saisissant de la vie torontoise !

Comment avais-je pu me retrouver à Toronto amoureuse d'un Anglais ? Impossible à expliquer ! Moi qui, dès ma plus tendre enfance, avais appris à mépriser la race britannique, surtout à la petite école avec l'histoire du Canada. « Tirez les premiers, messieurs les Anglais ! » Le Bas-Canada, le Haut-Canada. Toujours à cause des maudits Anglais, cette mésentente perpétuelle. Moi, une Canadienne française pure laine amoureuse d'un *bloke* ? Je ne parlais même pas anglais et lui avait un français souvent douteux. Quand je l'avais rencontré, je m'étais presque esclaffée quand il avait dit : « Je peur du mon francé depouis que je chui ravenu de Paris. » *My God* ! Je lui avais pouffé de rire au nez. Il me donnait souvent la certitude que les Anglais étaient des hommes ennuyants, dépourvus d'imagination et très peu bavards. De toute façon, David n'était-il pas trop maigre et trop osseux dans son complet gris ?

Comment l'amour m'était-il venu ? Je ne savais pas, je ne pouvais me l'expliquer, mais ce dont j'étais certaine c'était qu'il me torturait. Je crois que c'était le fait qu'il était insaisissable. Il vivait constamment en transit. J'admirais son indépendante façon de traverser le monde et d'être témoin des grands événements historiques. Non, ce n'était pas ça, c'était plutôt parce que je le trouvais énigmatique, impénétrable, et puis tellement beau, sensible, intelligent, voire fascinant. Il m'allait droit au cœur et malgré tous mes efforts, ma douce patience, je ne pouvais toucher son âme.

Je sentais que mon bas filait. Je venais de l'esquinter sur une des malles de David. Il y en avait exactement quatre, toutes aussi horribles et décrépites les unes que les autres, mais couvertes d'étiquettes en provenance des grandes capitales du monde. Elles étaient dignes du marché aux puces.

À moins qu'elles soient un héritage de son père, correspondant de guerre, qui avait suivi le dernier conflit mondial en compagnie du général Montgomery et qui me dévisageait, chaque fois que je tournais le coin de la cuisine, dans son cadre de métal blanc suspendu au mur du passage. Dans ces quatre malles, David pouvait ranger tout son avoir, tout son bonheur, ses six complets, ses six paires de chaussures, ses nombreuses cravates italiennes, sa machine à écrire portative et ses bouquins. Il était toujours prêt à partir pour un autre ailleurs. Il avait comme moi cet appétit pour le jamais vu.

Je n'arrivais pas à m'orienter dans Toronto. J'aurais voulu sortir de l'appartement de l'avenue Road, prendre l'air pour dissiper mon vague à l'âme en attendant que David finisse ses lectures. Tout était si plat dans cette ville et les rues tellement symétriques qu'il était presque impossible de savoir où on était. À Québec, on n'a qu'à regarder vers le *Château Frontenac* et on se retrouve tout de suite. Le point de repère à Montréal, c'est la montagne. Le cœur de Paris, c'est la tour Eiffel. Où est l'âme de Toronto ? Serait-ce l'hôtel de ville dont les Torontois sont si fiers ?

On m'avait toujours dit que les Canadiens anglais étaient distants, impénétrables, indifférents, énigmatiques, pas tellement sympathiques, ennuyants, ennuyeux, voire ennuyés, des grands secs, blonds, le teint clair, issus de la race aryenne, qui se sentaient supérieurs en tout point. À mon arrivée, j'avais rencontré les beatniks du village. Je ne leur avais rien trouvé d'authentique. Je les avais observés un bon moment avant de rentrer, de vrais comédiens amateurs qui répètent la sempiternelle scène du jeune blasé. Les boîtes de jazz étaient sombres, sales. On y détectait une odeur de poussière et les musiciens n'avaient rien d'hystérique si je me fiais aux sons discordants qui m'accompagnaient sur les trottoirs.

David était hermétique, plus qu'un Anglais normal. Ça m'excitait terriblement. J'allais jusqu'à me trouver responsable de l'enfermement de son âme. Quand j'étais dans ses bras, même durant les étreintes, il était loin. Il se contenait et ses seuls mots étaient : « *Oh! darling!* » et c'était tout. À moi d'imaginer le reste ! Si la communication verbale était difficile à cause de la langue, la communion de nos pensées était encore davantage impossible. Nous vivions sur des chemins divergents. Dans le deux pièces et demie de l'avenue Road, ce qu'il était convenu d'appeler le bonheur se dissipait. Cette longue fin de semaine prenait les couleurs de la morosité.

David était rentré tard la nuit précédente. Il était allé prendre un pot avec des copains. Il vivait libre. J'avais du reste toujours imaginé pour lui un océan de liberté. C'est peut-être ce qui expliquait sa froideur, sa lassitude et même son peu d'entrain. Il n'était pas tellement bavard, il aimait le silence. Je trouvais le temps long. Notre amour était terne. J'étouffais de solitude. Après m'avoir laissé entendre quelques borborygmes de faim, il avait décidé que nous irions manger dans un restaurant italien pour ensuite passer le reste de la soirée dans une boîte du village.

Il m'adressait la parole seulement pour les choses essentielles. Le reste du temps, il s'enfermait dans son mutisme. Je buvais avec mélancolie mon allongé. Je n'avais plus le goût de manger quoi que ce soit. Il s'éloignait de moi. Il trouvait la serveuse jolie et la faisait revenir à la table quatre ou cinq fois. Il inventait des histoires juste pour le plaisir de la voir se mordre la lèvre inférieure avec ses petites incisives bien pointues. Il affirmait qu'elle était une réplique vivante d'une certaine toile de Van Dongen. Cher David, il n'y avait pourtant pas là matière à un reportage. En fin de soirée, il décidait qu'on irait s'installer dans une boîte de jazz avant qu'il ne soit trop tard. Je bâillais. Il ne me parlait toujours pas. Il était nerveux, lointain, fatigué sûrement. Cette nuit-là, quand nous étions rentrés, la première tempête hivernale s'abattait sur Toronto. La Volkswagen bleue était engloutie sous la neige et il avait été forcé de la balayer longuement avant de la démarrer.

Dans l'appartement de l'avenue Road, il faisait un froid de canard. David avait voulu allumer la cuisinière électrique pour nous réchauffer. La chaudière était en panne. Il disait que c'était temporaire, de ne pas m'alarmer, que tout rentrerait dans l'ordre dès le lendemain ou le jour suivant. Après tout, il n'y avait pas de quoi en faire un drame, je n'avais pas de grippe, rien, il suffisait de bien me couvrir avec ses vieux impers ou les couvertures de laine rouge que sa mère lui avait expédiées de Londres.

Il se levait tôt le dimanche matin et je préférais traîner au lit le reste de la journée car mon billet de retour avait été enregistré pour le lendemain. Il me quittait encore une fois. C'était pour New York. Il devait donner une conférence sur l'anniversaire du Traité de Rome. L'avion décollait dans une heure et il avait à peine cinq minutes pour préparer sa valise. « *Bye! Keep well!* »

Je me retrouvais seule dans l'appartement de l'avenue Road. Pour rompre le silence, un sanglot au fond de la gorge, je chantais Barbara en me préparant un expresso. « À mourir pour mourir, je choisis l'âge tendre. Et partir pour partir, je ne veux pas attendre. J'aime mieux m'en aller du temps que je suis belle... »

J'avais hâte de rentrer à Montréal.

Assise en tailleur dans son lit glacial, j'écrivais sur une feuille blanche, quelques vieux *Time Magazine* me servant d'appui :

« C'est plein de chansons dans mon cœur, des chansons tristes pour une femme qui n'est pas aimée, des poèmes qui parlent d'heures d'attente, de nuits sans sommeil, de baisers qui ont un goût amer, d'étreintes douloureuses, de tendresses trop violentes, de caresses jamais rendues, de tristesses étouffées, de vertiges d'amour. Il y a comme un printemps inachevé dans mon âme, un concerto d'automne qui m'afflige, un été sans fleurs, un après-midi sans heures. Il y a l'hiver en permanence dans ma vie, le gel qui endolorit ma peau. Il y a un enfant mort dans mon cœur, il n'y a que l'absence. Il y a pourtant plein de chansons dans ma tête qui parlent de souvenirs, mais ce ne sont que des mélodies tristes et monotones pour une femme seule. Qu'une longue agonie, qu'un gouffre dans mes heures. Il y a comme la mort aujourd'hui ! Tu me hantes ! J'ai le mal de toi. Je sais que tu penses toujours à Astrid de la rue de la Parfumerie, que tu ne m'aimes pas. Quand tu me regardes, je ne vois pas l'amour dans tes yeux ! »

Table

CET OUVRAGE
COMPOSÉ EN GALLIARD CORPS DOUZE SUR QUATORZE
A ÉTÉ ACHEVÉ D'IMPRIMER
LE CINQ NOVEMBRE MIL NEUF CENT QUATRE-VINGT-SEIZE
PAR LES TRAVAILLEURS ET TRAVAILLEUSES
DE L'IMPRIMERIE MARC VEILLEUX IMPRIMEUR
POUR LE COMPTE DE
LANTÔT ÉDITEUR

IMPRIMÉ AU QUÉBEC (CANADA)